ちくま新書

世界哲学史6

——近代I 啓蒙と人間感情論

伊藤邦武／山内志朗
Ito Kunitake　Yamauchi Shiro
中島隆博／納富信留 責任編集
Nakajima Takahiro　Notomi Noburu

1465

世界哲学史6——近代I 啓蒙と人間感情論【目次】

第5章 啓蒙と宗教

山口雅広

第8章 イスラームの啓蒙思想

岡崎弘樹

はじめに

伊藤邦武

「哲学史」はこれまで、西洋だけを対象とし、そこから外れる地域や伝統を枠外に置いてきた。しかし、現在私たちが生きる世界は、西洋文明の枠を超えて、多様な価値観や伝統が交差しつつ一体をなす、新たな時代を迎えている。

そのために、新たに構想された「世界哲学」は、単に諸地域の哲学的営みを寄せ集めるものではなく、哲学という場において「世界」を問い、「世界」という視野から哲学そのものを問い直す試みである。アジアの一部にありながら、西洋文明をとりいれて独自の文化を築いてきた日本から、このような大きな視野に立って、「世界哲学史」を考えて発信することは、哲学そのものにとって大きな役割を果たすであろう――。

この「世界哲学史」のシリーズは、以上のような根本的発想のもとで、これまで古代、中世、近世の時代に現れた世界のさまざまな哲学について考察してきたが、本巻と次巻では、近代という時代を扱う。おおざっぱにいうと、本巻が論じるのは主として一八世紀の哲学であり、次の七巻が論じるのは、主として一九世紀の哲学である。

ところで、この二世紀間の近代の哲学史を西洋哲学史だけに偏ることなく考察し、「世界哲学史」という視点で見ようとする場合、これまでの古代や中世とは別の意味で、少なからぬ困難がつきまとうように思われる。というのも、世界の「哲学」は、まさしく「近代」という時代においてこそ、「西洋哲学」へと結晶したという側面をもっているからである。

近代における西洋世界の文明上の優位は、一七世紀（近世）における科学革命から始まって、一八世紀の（イギリス、アメリカ、フランスにおける）政治的な大革命、一九世紀の産業革命と帝国主義的植民地化、という形で加速化し、地球全体の規模へと拡大した。哲学という学問的営みは、西洋におけるこの文明上の優位と強く結びついていたために、われわれの日本においても、明治維新とともに急速に咀嚼しようとした哲学は、何よりも西洋近代の哲学であった。

しかしながら、明治維新から一五〇年以上たった今日において、これらの時代を改めて考察しようとするわれわれにとっては、この時代の西洋哲学のうちに、近代という時代に埋没することなく、その後の開かれた現代世界へとつながる思想的萌芽を認めることが、まったく不可能かといえば、そうではないはずである。というよりもむしろ、政治や社会という側面から理解される世界史的な形勢を、そのまま思想上の優位と理解するのではなく、文明上の覇権にたいする鋭い内在的な批判を通じて、西洋に限定されないより広い視野のもとで、人間の本性や魂のあるべき姿の普遍を探ろうとする姿勢は、近代哲学そのものの中にもすでに存在することが確かめられるのである。

そして、われわれが同じ時代の非西洋世界の側に目を転ずるならば、そうした普遍的視点を求める姿勢に共鳴したり、問題意識を共有しようとする思想の運動の具体的な姿もまた、しっかりと見出すことができるであろう。本巻はこうした理解から、この時代の世界各地の哲学の動向をたどりつつ、思想上のさまざまな共鳴の契機を探求してみようと試みるのである。

第1章 啓蒙の光と影

伊藤邦武

1 はじめに

†啓蒙とは

啓蒙とは「蒙を啓く」ことを意味する。蒙とは暗いこと、ものごとの道理に通じていないことである。啓くというのは、その無知をなくすこと、正しい知識を与えるということである。この言葉は漢語としては、「俗論の誤りを正す」という意味で二世紀頃から使用されるようになったといわれ、日本では一五世紀頃の文献に現れている。

一方、啓蒙という言葉の英語は Enlightenment で、フランス語は Lumières である。ただし、Enlightenment という英語の意味は、光を照らすということで、迷妄から目覚めること、暗闇から脱出することを意味するとしても、言葉自体としては「啓蒙主義」という場合のような、限定された使い方をされるわけではない。たとえば仏教における「解脱」ということを英語で表現する言葉はEnlightenmentである。釈迦は悟った人という意味で仏陀と呼ばれるが、仏陀とは何よりもまず覚醒した人、the enlightened personである。

仏陀の教えの中心は、人間が生まれつき陥りやすい深い迷妄や強い執着によって苦の状態にあることを認めたうえで、そこから解放されるためにはどうしたらよいか、ということにあるが、仏陀は同時に、哲学的反省と思索の中心をそうした心の屈折、ねじれからの解放に据えることによって、従来のバラモン教のもつ儀礼宗教的性格からの脱却を試みた。光を与えるという啓蒙の活動は、こうした宗教上の再生、ルネサンスという意味で使うケースもあり、仏教以外でも、たとえば一八世紀のユダヤ教内部の啓蒙活動や、一九世紀のイスラーム再生の運動も、それぞれの宗教の歴史における啓蒙期と呼ばれることが多い。

本書でも、第8章「イスラームの啓蒙思想」は、一九世紀から二〇世紀初頭のアラブ地域で展開された、目覚め、復興、ルネサンスという意味をもつ、「ナフダ」という思想を取り上げて、イスラームにおける啓蒙思想家たちが、自分たちに固有の文化を背負いながらも、同時に西洋近代の文化と真摯に対話し、寛容や多元性を重んじることで、人間の普遍性を志向していた事情を説明している。

このように、啓蒙という言葉の意味をできるだけ広くとろうとすれば、この思想は世界の広い範囲にわたる思想運動において、その根幹に位置する発想であると見ることができるだろう。しかし、同じ執着からの解放、迷妄からの脱却という意味での啓蒙ということをいっても、西洋近代のいわゆる「啓蒙主義」と呼ばれる思想には、他の思想伝統にないこの思想に独特の激越さがつきまとっている。

†西洋近代の啓蒙主義

西洋近代の啓蒙主義という言葉に、独特の激越なニュアンスがつきまとっているというのは、何よりも、西洋近代の啓蒙の思想が、イギリスにおける名誉革命、アメリカの独立戦争、そしてフランス革命という、一八世紀に連続して生じた西洋世界の最大級の変革のうねりに、直接間接に影響を及ぼすような、政治思想上のバックボーンの役割を果たしたからである。西洋におけるこうした政治上の革命的激動は、日本では江戸時代に生じた世界史的大事件であるが、当時鎖国の中にあったわれわれの社会では、これらの出来事はほとんど知られていなかったといってもよい。その意味で、政治思想としての啓蒙主義のインパクトは、わが国では必ずしも大きな衝撃をもって感じられたとはいえない。当時の東洋世界全体においても同様であろう。

とはいえ、一八世紀に大変革を経験した西洋社会は、その後の大規模な産業革命と帝国主義的植民地政策を通じて、地球規模での覇権を確立したために、その間接的な影響として、啓蒙主義的政治理念を世界の隅々にまで伝えることになった。このことは、西洋近代から現代へと至る世界の歴史にとって、非常に決定的な意味をもっている。非西洋世界への啓蒙主義的思想の波及には、きわめて長い時間を要したとしても、この思想の掲げる人権思想や民主主義の理念が、後世において、世界の広い地域でさまざまな形で採用されることになったことは、疑いようのない事実である。特に二〇世紀に生じた数々の世界大戦や植民地独立戦争の場面で、西洋の啓蒙主義的な政治思想の果たした役割は、とてつもなく大きなものであった。

ところで、西洋の啓蒙の思想は、社会全体の旧体制や専制政治、絶対的王権などからの解放として理解される、このような政治的意味とは別に、人間精神についての独特の理解としても考えることができる。しかも、そのような角度から見た場合には、啓蒙の時代の思想家たちの人間理解には、それ以前の哲学にはなかった独特のねじれを含んだ、一種の緊張状態が含まれており、そのために啓蒙主義の人間論は単純な解放思想とは異なった性格を帯びることになる。西洋近代の啓蒙という思想運動には、いわば、「光」という呼称で指示される輝かしい側面と同時に、これに反する闇の部分というか、光に随伴する影の部分が含まれている。そのために、本来光の運動であるはずの西洋近代の啓蒙思想の展開は、単純にそれまでの暗愚の時代に明るい光が差したというだけではすまない、複雑な陰影を帯びることになるのである。

ここでいう、人間精神に見られる光と影の緊張状態とは、簡単にいえば、人間理性のもつ光の側面と、影の側面のことである。理性はわれわれの暗闇を導く光であると同時に、強烈な光によってわれわれの目をくらませ、別の意味での混乱や混沌へと導く可能性を内包している。理性は偏見に染まったわれわれに、本来の自然への目を開かせる一方で、われわれの「自然状態」を破壊し、われわれの人間精神の働きに狂気や不安を呼び込む可能性をもつ。

†理性は人間の自然なのか

それゆえ、理性は人間精神の自然であると同時に不自然でもある。そして、理性によってもたらされる恐れのある精神の不自然を、自然状態へと引き戻すのは、理性にはない精神的治癒力をもった心の働き、すなわち感情の作用である。したがって、啓蒙という光の作用のもっている影の部分に作用を及ぼし、その作用を軽減するのは感情である。理性と感情のどちらが人間の自然にとって本来の能力であるというべきなのか——。西洋近代の啓蒙思想の運動において、多数の思想家たちどうしの共感と敵対関係を生み出したのは、この「理性と感情」の意義をめぐる理論上の困惑であり、それが西洋近代思想にたいして、他の啓蒙運動には見られない哲学的な緊張関係とダイナミズムを与えることになったのである。

以下ではまず、この緊張関係をめぐる西洋の啓蒙の思想のダイナミズムについて概観してみたいが、このダイナミズムは最終的には西洋思想の伝統にのみ限定されるのではないことが、やがて明らかになってくる。西洋の人間感情論は、思想伝統をまったく異にする東洋思想のある種の側面とも、一種の共鳴関係を起こしていることが、本書に収められたいくつかの章を見ることによって、徐々にはっきりと感じられるようになるはずである。この序論でも、最後にこの点について簡単に触れることにする。

さて、それではなぜ、一八世紀を中心とする西洋近代の啓蒙の思想において、このような理性と感情という、とりあえずは東洋にない内在的緊張が孕まれることになったのであろうか。そのためには、中世スコラ哲学において誕生し、その後一七世紀のガリレオやデカルトの思想において、その意味を変更するとともに、より強烈な意義を付与されることになった、「自然の光（lumen naturale）」という言葉に注目する必要がある。この言葉は、スコラ哲学では「理性の光」とか「自然理性の光」とも呼ばれ、「恩寵の光」とか「啓示の光」「信仰の光」などと区別された。それは神によって創造されたアダムが、特別な恩寵の働きに浴することがなくても、被造物としての本来の能力としてもっているものであり、それ自体として恩寵の光と正面から対立するものだというよりも、むしろそこへと至る準備的な能力として認められていた。

†自然の光

ところが、一七世紀にガリレオやデカルトが登場すると、自然理性の働きによる真理こそが、それまでのスコラ哲学やアリストテレス主義がもたらした偏見、誤謬、迷妄、混乱からわれわれを全面的に解放する、ということが強調されるようになった。自然の光に照らされた理性の能力は、感覚的知覚という形で与えられる日常的な世界を、二次性質による誤った世界理解であるとしてはっきりと拒否し、世界を数学化し、機械論化することで、自らを一次性質のみによって世界を分析、記述する、透視的視線であると宣言した。これによって、世界の暗闇を振り払う光の源泉たる「自然と恩寵」は、単なる区別という以上の対立的な関係へと変換されることになり、さらには対立以上の、断絶的な関係へと整理されるようになった。

ただし、デカルトやその後のライプニッツも、自分たちの形而上学的思索が数学や自然哲学とは地続きであることを認める一方で、自然の光にもとづくその形而上学が、恩寵の光によってもたらされる真理、教会で教えられ、大学の神学部において議論されている理論とは別次元であることを述べただけで、恩寵の光がなくてもすべての真理が十全な形で人間に与えられるであろう、というところまでは主張しなかった。彼らはただ、啓示による真理を待たなくても、人間の理性には神の存在を証明したり、その本性の理解にもとづいて世界の物理的性質について、多くの知識を得るだけの力があると述べたのである。

しかしながら、理性の力を強調した彼らのような合理主義者のあとには、彼ら以上に、宗教上の真理はすべてあますところなく理性によって理解されるはずであり、奇跡などの超自然的現象の容認は、宗教にとって有益であるどころかむしろ有害であるという、理性第一主義を説く者が現れ、これが広く思想界に流布するようになる。これこそが、すべての宗教的真理は基本的に理性のみによって構築可能であるという、「理神論」の発想であり、その代表には『キリスト教の合理性』などの著作を公表したイギリスのロックや、それ以上に過激な立場を表明したトーランドなどがいる。本書で扱う西洋近代の啓蒙主義は、この理神論的宗教観に見られるような、純粋理性主義ともいうべき発想に源をもっている。自然の光によって蒙を啓くということは、もっとも単純な意味では、非合理的な奇蹟や迷信を一掃して、理性的に純化された哲学的真理へと帰依するということである。それは旧来の「迷信」との徹底的な闘いの道である。

とはいえ、当然のことであるが、恩寵と対立する精神の自然な働きということのために、人間理性のもつ能力ということがこのようにとりわけ強く言われるようになると、今度はこの理性の働きがそれ自体として本当に「自然なもの」なのか、という別の問題意識が生まれてこざるをえない。理性の働きにはその行き過ぎによる狂気や混乱の可能性が含まれているのではないのか。あるいは、人間の精神の働きの本来の姿は、自然な感情の発露に従うことにあるのであって、計算的な知性や思弁的な理性の重視は、かえって人工的で、ゆがんだ世界理解を生むのではないか——。

理性という自然の光の強力さに目覚めた一七世紀のヨーロッパ精神は、一八世紀にはいると、人間の自然は理性にあるのか、それともむしろ感情にあるのか、というそれまで見られなかった複雑な問題意識にとらわれるようになった。名誉革命やフランス革命を生み出した啓蒙主義と呼ばれる哲学的思潮は、その政治的な意味あいでの革新性や革命性とともに、人間精神の本来性や自然さということについての、相当にこみいった緊張関係を孕んだ思想であった。ここではその緊張関係について、啓蒙主義の時代の代表的な思想家の態度を通じて、簡単な概観を行ってみることにしたい。

2 啓蒙における理性と感情

†イギリスとフランスの啓蒙主義

ヨーロッパにおける啓蒙思想というのは一八世紀の半ばにイギリスとフランスで高まった特別な思想上の気運である。それはイギリスではスコットランド啓蒙思想という名の下に、ハチスン、ヒューム、スミスらによって、エディンバラ大学を中心とする「道徳感情論」という特徴ある道徳哲学として発展した。それはまた、フランスでは、ディドロとダランベールを中心とした『百科全書』という大規模な出版計画に象徴されるような、文化活動の形で推進された。前者はその名の通り、理性よりも感情のほうに重きを置いた人間論を展開し、後者は基本的には科学的理性の価値を最大限に讃える姿勢をとった。

一八世紀ヨーロッパの啓蒙主義運動はこのように、スコットランドとフランスという二つの焦点をもったものであり、その重心の位置も異なったものであったが、それらはかならずしも別々のものだったと見る必要はない。ヴォルテールの『イギリスからの書簡』(一七二九年)は、フランスにおいて旧制度に向けて投げ入れられた「最初の爆弾」と呼ばれているが、この作品はその名の通り、デカルトよりもニュートンの科学を範にとって、経験主義的探究活動を推進するべきだとするプロパガンダであり、ディドロらの『百科全書』はヴォルテールのこの思想を非常の多数の学者たちの共同作業という形で、具体化したものに他ならないからである。

†コンドルセ

また、ディドロ系列の啓蒙思想とスコットランド流の啓蒙思想が併存できたことは、たとえば「啓蒙思想の遺書」とも呼ばれた『人間精神の進歩の歴史』(一七九三年)の作者、コンドルセの場合にも見て取れる。コンドルセは社会数学などの斬新な理論によってフランスの政治思想の前衛化を図った思想家であるが、革命中にジロンド党の立場からジャコバン憲法を批判したかどで、死刑を宣告された。『人間精神の進歩の歴史』はその逃亡中に書かれた歴史書であるが、全体を人類の黎明期、西ヨーロッパにおける人間精神、人間精神の将来という三部に分け、第二部の完成者をデカルトに見立てたうえで、その延長上に人類の明るい将来を遠望している。

コンドルセはこのように非常に楽観的な姿勢で人間の理性的能力の可能性を謳いあげているが、この図式は後にサン＝シモンやコントへと引き継がれた。彼はまた、フェミニズム的観点から将来における女性の役割に大きな期待を寄せているが、こうした姿勢は妻のソフィー・ド・グルシーの影響によるものとされている。この妻はイギリスのスミスやペインの著作の最初のフランス語翻訳者であり、弟はナポレオン戦争におけるナポレオンの腹心エマニュエル・ド・グルシーである。いずれにしても、われわれはコンドルセ夫妻において、フランスとイギリスの啓蒙思想が何らの違和感なく容易に共存できていたことを見ることができる。

それゆえ、啓蒙思想家のいく人かの人びとにとっては、理性と感情は決して両立不可能なものとは考えられなかった。とはいえ、他方で、理性というもののもつ不自然さを強く意識し、啓蒙という精神の運動においては理性を離れて、人間の感情の自然な発露ということに重心をおく必要があることを、特に鋭く意識した思想家も存在したことは間違いない。われわれは理性に疑いの目を向けるそのような立場の代表として、フランスではルソーを、イギリスではヒュームの名前を挙げることができる。ここでは啓蒙という光の輝きによって見えにくくなりかねない、理性のもつ影の部分に注目した、彼らの思想について簡単に紹介しておこう。

†ルソー

まず、百家全書派の人びとに大きな期待を抱かせながら、多くの思想家や文学者との間で激しい対立や内紛を引き起こした思想家、ルソーについて見てみよう。

ルソーはしばしば西洋近代的民主主義の父のように描かれることもあり、カントの道徳哲学の先駆者としても重要である。しかし、彼自身の思想の方向とその真意の在りかはきわめて複雑で微妙である。彼はその音楽論の才能を買われて、ディドロたちの『百科全書』の仲間に招き入れられたが、著作活動の出発点に位置する『学問芸術論』や『人間不平等起源論』ですでに、知識や学芸の発展が人間を幸福へと導くどころか、自然状態からの離反と堕落という悪徳への道に他ならないことを声高に主張していた。この点で彼は、はじめから主流の啓蒙思想とは相いれない側面をもっていた。

ルソーの反権威主義と感情主義がさらにはっきりと表明されたのは、彼がパリから離れたモンモランシーで執筆し、読書界の圧倒的な支持をえることになった、『新エロイーズ』、『社会契約論』、『エミール』などの代表作によってである。これらは当時の読書人たちの間に大きな興奮を呼び起こしたが、とりわけ『エミール』は、時の宗教的権力や政治的権力の目には、体制を根本から揺るがす危険な書物として映った。この作品は、人間が現代社会の堕落から逃れ、新たな再生を果たすことが可能になるために、幼少期以来いかなる教育がなされるべきであるかというテーマを論じた教育論であるが、そこには彼の独自な人間本性論が開示されている。

子供は本来孤立した状態で育てられている限り、自然人としての本能的善良さはもちあわせていても、その善良さは道徳的価値をもつものではなく、あくまでも動物的生命に備わった萌芽的なものでしかない。子供の善良さが道徳的徳という性質に成長するためには、子供が他者との交流に入ることによって、さまざまな行動を共有し、互いの感情をぶつけ合う経験が必要である。このとき、「自然の秩序」から見て人間の精神に印象を刻む最初の対人的感情は「憐憫(れんびん)(憐れみ)」である。人間はもともと感受性を備えているが、その感受性の働きが他者へと向かい、善悪の観念をもつことになると、人間は共同体の一員となるとともに、「真の人間」になる。憐憫の情から出発して善悪の観念をもち、それを自らの徳として保持しようと戦うときに、人間ははじめて美徳を備えた存在になるのである。

†憐憫と良心

『エミール』の第四巻には「サヴォア人助任司祭の信仰告白」という有名な箇所があり、ルソーはそこで架空の司祭の口を借りて自らの道徳観・宗教観を「告白」している。それは、外界の世界にかんする統一的な意志の存在を信じる第一の信仰箇条と、その規則性を考案する卓越した知性としての神の存在を信じる第二の信仰箇条と、身体とは独立に人間自身がもつ自由意志の存在を信じる第三の信仰箇条からなる世界観であるが、その世界観が導くのは人間の内なる感情としての良心の存在であり、そこで確かめられた良心こそが、われわれのもつ道徳観の普遍的正当性を保証する根拠であると結論される。

人間には良心という正義と美徳についての生得的な原理が備わっている。この原理を知るのは理性ではなく感情である。人間は何よりもまず感じる精神として存在する。何かを感受するという能力は、自己保存の感情を含めて、すべての精神が生まれつきもつものである。この感情は自分だけに向けられているときには、自己愛や幸福の希求、苦痛の恐れ、死への不安などとして現れるが、他者との交流の中では、憐憫（憐れみ）の情に源をもつ良心として発達し、やがて同胞を気遣う社交性へと成長する。この成長の過程で、理性はさまざまな知識を提供し、反省の材料を与え、善悪の観念の内実を明らかにすることを助ける。その意味で、理性は必ずしも感情の敵対者ではない。とはいえ、それはあくまでも補助的な役割をもつだけであり、他者への愛という生得的で普遍的な性質や力を備えてはいない。

『エミール』はこのように論じて、計算的知性や科学的理性に優先して、自然に湧き上がってくる他者への憐憫の情と、そこから成長する精神の内なる良心の声にこそ、広く人間精神一般に普遍的に妥当するような、道徳的原理の根拠があると説こうとした。『エミール』はこの思想に沿って、幼児から青年期に至る子供のための教育方法の刷新を訴えたのであるが、その結果ルソーはフランスで、伝統的な宗教理念や教育理念を根本から否定する破壊的思想家であるとして断罪され、さらには、故郷のスイスからも追放の憂き目を見ることになったのである。

3 理性の闇

†ルソーとヒューム

百科全書派の人びととも仲たがいし、孤立状態に陥ったルソーは、ヒュームの助言をいれてイギリスでの逃亡生活に入った。二人はともにデカルト流の自我の概念や理性の絶対的な価値に疑問をもち、計算的知性よりも感情のレベルでの価値評価の方を優先させようとした思想家であった。その意味で、ヒュームの招きでイギリスにわたったルソーの行動は、それ自体としては突飛なものではなかったと考えられる。

しかしながら、「自然に帰れ」という過激な思想とともに、近代文明全体の欺瞞を告発しようとしていたルソーの思想は、「穏健な情念」の働きをもって道徳の原理にかえようとするヒュームにとっては、やはり行き過ぎたものとして、次第に疑念をもって考えられるようになった。こうしたヒュームの態度を前に、ルソーはヒュームをも裏切者とみなし、猜疑心にみちた激しい人格攻撃を行った。これにたいしてヒュームもまたルソーを批判し、自己の立場を弁護する書を公刊した結果、二人の関係は最終的には決定的に修復不可能なものになった。

一八世紀の啓蒙主義の時代に人間感情論の主要な思想家二人が、このような個人的対立の悲喜劇を繰り広げることになったことは、感情の哲学といえども一筋縄ではいかず、そこには重大な理論的混乱や断絶の契機が孕まれていることを教えてくれる。しかし、ここでは二人の関係の破綻にかんしてこれ以上詮索することなく、ヒュームの側ではどのような意味で、人間における情念や感情の優位を主張するにいたったのか、という点だけを見ることにしよう。

もう一度、理性と感情（あるいは情念、情動）の関係をめぐる、一七世紀の哲学者と一八世紀の哲学者の発想の違いを繰り返しておくと、古典的な合理主義の立場にたつデカルトやスピノザでは、人間の精神の正常な機能に障害をもたらすのは、荒々しい情念や偏狭な感情であるから、われわれにとって何よりも重要なことは、理性の強力な働きに目覚めることを通じて、情念による精神の攪乱を鎮め、その作用をできるだけ圧縮することであり、哲学の主要な役割の一つはこのことを明確に説明することであった。デカルトの『情念論』やスピノザの『エティカ』は、まさしくこうした目標にそって書かれた書物であった。

これにたいして、一八世紀の思想家たちは、理性はそれだけで単独の働きとして放置すれば懐疑論に進む可能性があり、懐疑論は深刻な不安と絶望を生み出す恐れがあると考えた。彼らはそれを克服するために、自然な社交性を回復し、共感や同情という穏やかな情念に従うのが最善であると考えた。この二つの立場の違いは、彼らが懐疑論という共通の手法を採用しながら、その帰結にかんして非常に異なった結論を導いた、という角度から理解することもできる。

†デカルトの懐疑

よく知られているように、西洋古代・中世のアリストテレス的世界像に代わるべき、数学的・機械論的世界像を確立しようとしたデカルトは、それまでの一切の信念を全面的虚偽として廃棄するような「過剰な懐疑」の重要性を訴えた。そのために、彼は外界にかんする感覚的知識の不確実性や、夢と現実の区別の困難といった、古代ヘレニズム哲学以来語られてきた懐疑理由の他に、数学や論理学などの永遠真理にかんする「悪霊による欺瞞」の可能性という、まったく新しい懐疑理由まで提出した。こうした過剰な懐疑を遂行する省察の主体は、『第二省察』冒頭で語られるように、「水中であっぷあっぷしながら、水面に頭を出すこともできず、水底に足をつけることもできない」ような、極度の混乱と恐怖とを味わうことになる。

しかしながら、省察の主体である「私」は、そうした全面的な自信喪失の果てに、「悪霊が欺くのであれば、少なくともその対象としての私は存在する」という事実を「アルキメデス的定点」として見出し、かえって一切の知識が基礎づけられる究極の根拠が、「コギト・エルゴ・スム」にあることを発見する。水中での恐怖体験は、いわばすべての知識の第一原理となるべきコギトを直観するための、一種のイニシエーションの役割を負わされたのである。

†ヒュームの懐疑

ヒュームはその代表作である『人間本性論』を、デカルトの学んだラフレーシュ学院で、デカルトの『方法序説』のちょうど一〇〇年後に執筆した。彼もまた古代の懐疑論の議論に通じていたが、デカルトとはちがって、懐疑の対象となるものを、因果性の判断や帰納法的推論の根拠のほうに見出した。彼はさらに、デカルトとは逆に、「考える主体」としての「私」そのものが、矛盾した原理のもとでしか把握できないと主張した。ある人格の同一性とは、その主体が抱く観念の束にあると理解される。しかしながら、この束を束ね、そこに統一性をもたらしているものを私自身は認識することができない。したがって、私の同一性が本当にあるのかどうか、私には知るすべがない――。

これは、コギトという不可疑の事実は認められたとしても、そこから、「エルゴ・スム」という形で自我の存在を承認することはできないということであり、思惟はあるとしても、思惟の主体があるかどうかは分からないという、奇妙にも転倒した事態の表明である。『人間本性論』の第一巻「認識論」の最後の部分は、自我をめぐるこの懐疑論で締めくくられているが、そこには人間理性の矛盾に巻き込まれた精神が体験せざるをえない、水に溺れたデカルトの懐疑主体よりもさらに悩ましいであろう、「もっとも深い闇」が提示されている。

人間理性におけるこれらの多様な矛盾と不完全さとを懸命に注視することが、私に強く働きかけ、私の脳髄を熱してしまったために、私はすべての信念と推論とをすすんで拒否することになり、いかなる意見にかんしても、ほかのものより確からしいとか、ありそうであると見なすことができないでいる。ここはどこなのか。私は何者なのか。私は自分の存在をいかなる原因からえているのか。……私はこれらの疑問のすべてによって茫然自失し、自分をもっとも深い闇に取り巻かれ、すべての器官と能力の行使を完全に奪われて、想像できるかぎりもっとも哀れむべき状態にいると想像してしまうのである。（『人間本性論』第1巻「知性について」木曾好能訳、法政大学出版局、二〇一一年、三〇四頁。一部改変）。

4　人間感情論の射程

†理性は情念の奴隷である

理性の勝利から理性のもっとも深い闇へ──。これが一七世紀のデカルトと一八世紀のヒュームの哲学とを隔てている大きな断絶である。

「理性は情念の奴隷であり、そうであるべきである」

ヒュームは右のような絶望に終わった『人間本性論』の第一巻に続く、第二巻「情念について」の冒頭で、改めてこう宣言した。

彼は、理性だけでは人間は行為の選択も善悪の判断も十分にはできないことを主張するとともに、極端な孤独、不安、絶望へと導きかねない理性の働きに、自然な回復をもたらすのは、情念すなわち感情であると主張した。彼のいう情念は、快感や苦痛のような直接的な情念のほかに、自負や卑下、愛や憎しみなどの自分と他人との関係にかかわる間接的な感情をも含んでいる。さらに、自分自身への顧慮を離れた一般的観点からする情念もあるとして、共感というより客観的で穏やかな感情の存在も認めた。

彼の道徳論はこの情念論を下敷きにして、共感という心の働きをもちうるわれわれが、人と人との関係を観察することで、いかにして道徳的善悪の判断を下すかを説明するものである。私はAさんがBさんに苦しめられているのを目撃し、Aさんの悲しみの感情に共感をもつことを通して、Bさんを悪人と評価する。あるいは、AさんがBさんに助けられているのを目撃して、Aさんの喜びに共感することを通して、Bさんが善人であると判断する。人間どうしの感情の交流を基礎にしたこのような道徳的評価の分析は、スミスやベンサムにも影響を与えるとともに、さまざまな理論的修正を受けることになったが、その詳細は以下の道徳感情論などの章で確かめることができるであろう。

ところで、人間精神の働きの中心を感情や情念に置き、知性や理性の働きを補助的なものと見なす、ヒュームたちのこうした姿勢は、デカルトをその父とする西洋近代以降の哲学の流れにおいては、かなり後発的な理論的展開に位置することはまちがいない。しかし、それがどこまでいっても完全にマイノリティの立場にとどまったままであったかといえば、必ずしもそうとはいいきれないのである。

というのも、一八世紀のヨーロッパにおいて、理性と感情の関係は危険なバランスを保っていたが、その次の一九世紀の西洋哲学は、カントの理性批判という偉大な企ての後に、理性そのものが一種の感情的側面を内包しているとするロマン主義の哲学へと変貌し、さらには、現象界を生み出す理性の脆弱さを暴くとともに、本能や感情の優越を説くショーペンハウアーやニーチェの哲学へと脱皮するからである。特に、西洋近代哲学の理性偏重に初めから強い違和感を覚えていたアメリカの新興思想であるプラグマティズムでは、デカルトの懐疑論もヒュームの懐疑論もともに否定され、人間の認識作用と実践的活動との連続性が強調されたが、これは別の角度からいうと、理性と情念の関係にかんして、情念の側に優先性を主張することに他ならない。

†アメリカの人間感情論

プラグマティズムの思想家のなかでも、とりわけこのことを強調したのはウィリアム・ジェイムズであるが、彼は知覚的経験から計算的推論にいたる、すべての認識活動には感受的性格が付随していることを指摘すると同時に、実在論と唯名論の対立や唯物論と観念論の対立など、哲学の歴史上の主要な理論的対立などが、実際には知的な問題というよりもむしろ気質の対立だ、と喝破した。このジェイムズの感受性の哲学に強い共感を表明したのは、フランスのベルクソンであり、彼もまた、人間精神の深い部分での働きは、表面上の知的計算とは別の、感情の質的な強さによって内側から感受されるとしたのである。

しかも、ジェイムズらの感情を基礎にした人間精神の理解が、けっして一九世紀後半から二〇世紀前半に突発的に登場した、新奇な思想ではなかったことにも注意が必要である。本書の第6章「植民地独立思想」でも解明されているように、当時の西洋にとって「後進地域」であったアメリカでは、先進的ヨーロッパの啓蒙主義を積極的に受容しつつ、道徳の基礎を理性ではなく心情におくような人間観が、すでに明確に主張されていた。独立戦争の一翼を担ったフランクリンが独学で電気技術を生み出して、啓蒙主義の威力を西洋以外にも広く知らしめる一方で、その後輩のジェファーソンがキリスト教の博愛の精神をもとにした道徳思想を高らかに謳いあげていたからである。

そして、西洋における啓蒙主義の全盛期にはむしろ思想的な閉塞状況に留まることを余儀なくされていた東洋社会も、やがてアメリカという新世界を経由して西洋文明との新たな接触の時期を迎えると、感情論を軸にした人間論に強い共鳴現象をおこすことになった。それはたとえば、京都学派におけるジェイムズやベルクソンへの深い共感という事例に見られるが、このことはけっして偶然の出来事とは考えられない。というのも、人間の精神活動の主軸に感情的な心の働きをおくということは、古来より東洋思想において非常に大きな力をもった発想であり、それは古代中国における「惻隠の情」を軸にした道徳論から、わがくににおける「物のあはれ」の洗練を追究しようとする芸術的道徳論などにまで、一貫して保持された人間本性論の伝統であったからである。

†東洋の人間感情論

日本語としての「情」や、漢語としての「感情」（日本でも明治以前には「かんじょう」ではなく「かんせい」と読まれた）には、個人の人間の内に生じるさまざまな心理的動きから、個人が他人へと投げかける思いやりや愛情など、非常に幅広い意味合いが含まれている。中国や日本では、この複雑な意味合いへの反省という形式の下で、道徳的卓越性や美的意識の洗練が問われ、練り直されていった。東洋的伝統における哲学的反省の重心には、このような人間感情論があるといってよいであろう。

本書の第9章「中国における感情の哲学」は、宋代の朱熹から明代の王守仁（陽明）にいたる中国哲学における性と情の理論の展開を概観しつつ、特に清代の戴震によって成し遂げられた、「理性の哲学」から「感情の哲学の」への転換について注目する。戴震は惻隠の情を基礎にした古代の孟子の思想への訓釈を通じて、中国における感情の哲学を近代に向けて解放した、とされるのである。

また、第10章「江戸時代の「情」の思想」は、伊藤仁斎や荻生徂徠の「人情理解論」が、朱子学とは異なって、他者の情の理解を重視し、情の諸類型を知ることで正しい人間関係を育もうとしたものであったことを確認する。そして、本居宣長の「物のあはれ」の思想に、一方ではこの人情理解論に通じる面があることを指摘すると同時に、「粋」や「通」などの美意識とも通底していたことを説く。

読者はこれらの章によって、東洋における感情論の内実について、改めて目を開かれることになるであろうが、いうまでもなく重要なことは、そうした知識を身に着けることで世界の各地方の哲学的伝統の多様性を知るということだけではない。多様性とともに重要なのは、重なり合う哲学的思考傾向の存在である。私たちは、啓蒙主義の西洋近代と東洋の思想的伝統という、一見したところもっとも縁遠い思考傾向と思われるもののうちにも、実際には憐憫や思いやりや共感など、「家族的類縁性」をもった複数の概念のもとで表現できる、目に見えにくい、しかしきわめて豊かな内実を伴った、思想的水脈ともいうべきものを探し出すことができるのである。

最後に一言、知性と感情の対立というこれまで見てきた哲学の問題は、今日のわれわれの世界でも依然として問い続けられている、生きた哲学的テーマであるということを、つけ加えておこう。

英語で知性主義を表すintellectualismという言葉は、ジェファーソンやジェイムズなど、プラグマティックな思考の伝統が根強いアメリカでは、今日でもほとんどの場合あまりよくない意味で用いられ、むしろ反知性主義こそ人間のあるべき姿であるとされることが多い。また、パスカルのいう「繊細の精神」の意義を高く評価するフランス語でも、「デカルト主義者」という言葉はしばしば、歓迎すべき呼称ではないとされている。しかし反対に、日本語としての反知性主義という言葉は、基本的に良い意味では使われないような感じがする。

このように、私たちは今なお、理性と感情という人間精神の二つの柱の間で揺れているともいえるが、この揺れの中には、世界的な規模での哲学や思想の歴史の痕跡がいろいろな形で隠れている。それゆえにこそ、世界哲学史というパースペクティヴの下で、人間精神の二つの重心である理性と感情の複雑な関係に今一度思いをいたすことには、十分に意味があると思われるのである。

さらに詳しく知るための参考文献

山崎正一・串田孫一『悪魔と裏切り者――ルソーとヒューム』(ちくま学芸文庫、二〇一四年)……原著の出版年は古いが、ルソーとヒュームの感情的対立についていきいきと解説した研究書として、今読んでも非常に面白い。今のような大学教授ではない、一八世紀の西洋の哲学者の生活スタイルや意見交換のやり方も分かるので、哲学という知的活動についての反省の材料にもなる。

マックス・ホルクハイマー、テオドール・アドルノ『啓蒙の弁証法』(徳永恂訳、岩波文庫、二〇〇七年)……第二次大戦直後に、フランクフルト学派の二人の思想家によってアメリカで書かれた、「理性の野蛮」を暴く本。二〇世紀後半にヨーロッパで盛んになった「西洋中心主義批判」の先駆けともいえる書。現代の感覚からすると、それでも多分に西洋中心的な感じが残っていると思われるかもしれない。

ウィリアム・ジェイムズ『プラグマティズム』（桝田啓三郎訳、岩波文庫、一九五七年）……実在論や観念論、二元論や一元論などの、哲学史に登場する代表的な理論的対立が、純粋に理性的な議論の対立であるよりも、多くの感情的要素によって成立していることを明らかにした、古典的テキスト。ジェイムズは哲学者の気質を、「固い精神」と「柔らかい精神」の対比として分類する。

山内得立『ロゴスとレンマ』（岩波書店、一九七四年）……われわれが西洋と東洋の思考のスタイルの違いを論じる際、「理と情」の対立という形で理解しようとする議論が多いが、本書は両者の対比が、むしろ「理性」そのもののもつ論理形式の相違にあると論じる。山内によれば、西洋の理性はロゴスであり、東洋の論理はレンマである。この解釈には当然異論もありうるが、世界的規模で理性の多様性を考えようとするとき、まず参照されるべき基本的な研究であることは疑いえない。

コラム1 近代の懐疑論

久米 暁

西洋は大航海時代に自らとは別の文明の存在に気づき、また宗教改革によってカトリシズムと異なるプロテスタンティズムの可能性を見いだした。西洋文明の基盤に対する疑いが生まれ、「懐疑主義的危機」が訪れる。モンテーニュ（一五三三〜一五九二）は、人は確実なことを何も知りえないとする自らの懐疑的立場を「わたしは何を知っているだろうか」と疑問文で表現した。「何も知らぬ」と言い切れば、「何も知らぬ」こと自体は知っている、という背理に巻き込まれるからである。かたやデカルトは、わたしたちが信じていることはすべて間違っていると敢えて考える（方法的懐疑）としても「わたしは考える、だから、わたしは存在する」は決して疑いえないとし、それを礎に確実な学問体系を演繹して懐疑論を克服しようとした。さらに、懐疑論を維持しつつも学問を擁護する中間派も現れた。

中間派の試みの一つが一八世紀英国のヒュームの議論である。帰納に関する議論を取り上げよう。帰納とは、過去のデータを証拠に未来を予想する推論法である。帰納は「自然の斉一性の原理」つまり「過去と未来は似ている」という前提に基づいているが、この原理は果たして正しいのか。「過去と未来は似ている」の反対すなわち「過去と未来が似ていない」とわたしたちは少なくとも考えることはできるので、この原理の正しさを示すに

は、経験的な証拠が必要である。たとえば「この原理は過去において正しかった」という
ような。しかし「この原理は過去において正しかった」という証拠に基づいて「この原理
は未来においても正しいだろう」と推論することは許されない。この推論自体が「過去と
未来が似ている」という原理を前提としているので循環論法になるからである。経験的証
拠として挙げうるのは過去についてのデータでしかないのだから、それに基づく未来への
推論は「自然の斉一性の原理」に拠る必要がある。したがって「自然の斉一性の原理」の
経験的証明は必ずや循環論法に陥る。だから「自然の斉一性の原理」は証明できず、帰納
は理性的根拠を欠くことになる。以上がヒュームの懐疑的議論である。しかしヒュームの
意図は帰納の批判にはなく、帰納が理性ごときのなせる業ではなく、人間本性に強く根差
した、習慣による想像力の作用である、と指摘することにあった。ヒュームによれば、何
度も同じことを経験すると、心に習慣が形成されて、何の根拠もないにもかかわらず、未
来も同じことが続くとわたしたちは自然に想像するのである。

ヒュームは道徳判断も理性的根拠を欠くと論じたが、それも道徳批判ではなく、道徳判
断が一種の感情だと説く手段であった。近代の懐疑論は、理性の限界を示し、習慣・想像
力・感情といった、それまで軽視されてきた人間本性の側面に光をあてたのである。

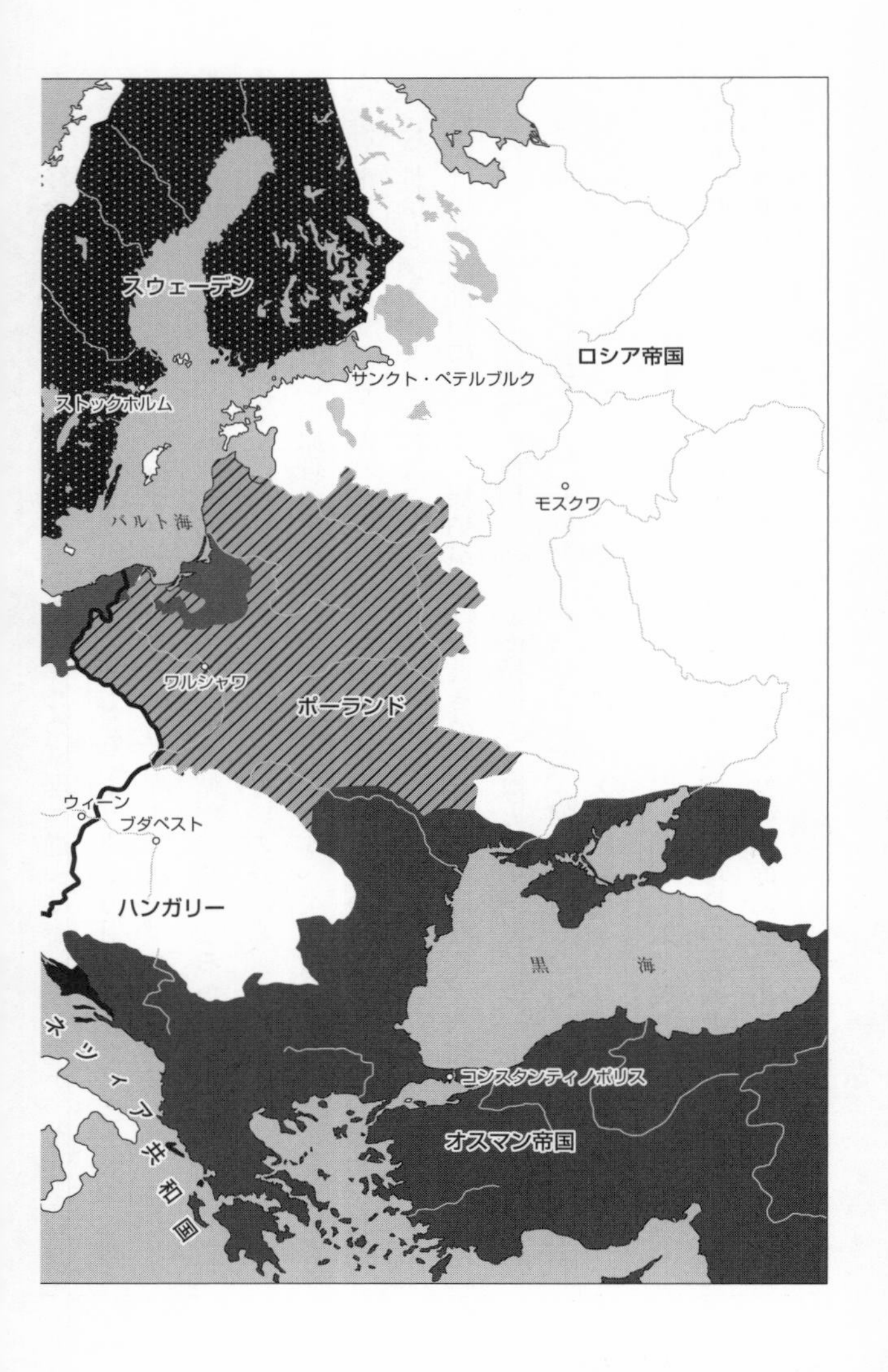
スウェーデン
ロシア帝国
サンクト・ペテルブルク
ストックホルム
モスクワ
バルト海
ワルシャワ
ポーランド
ウィーン
ブダペスト
ハンガリー
黒海
ヴェネツィア共和国
コンスタンティノポリス
オスマン帝国

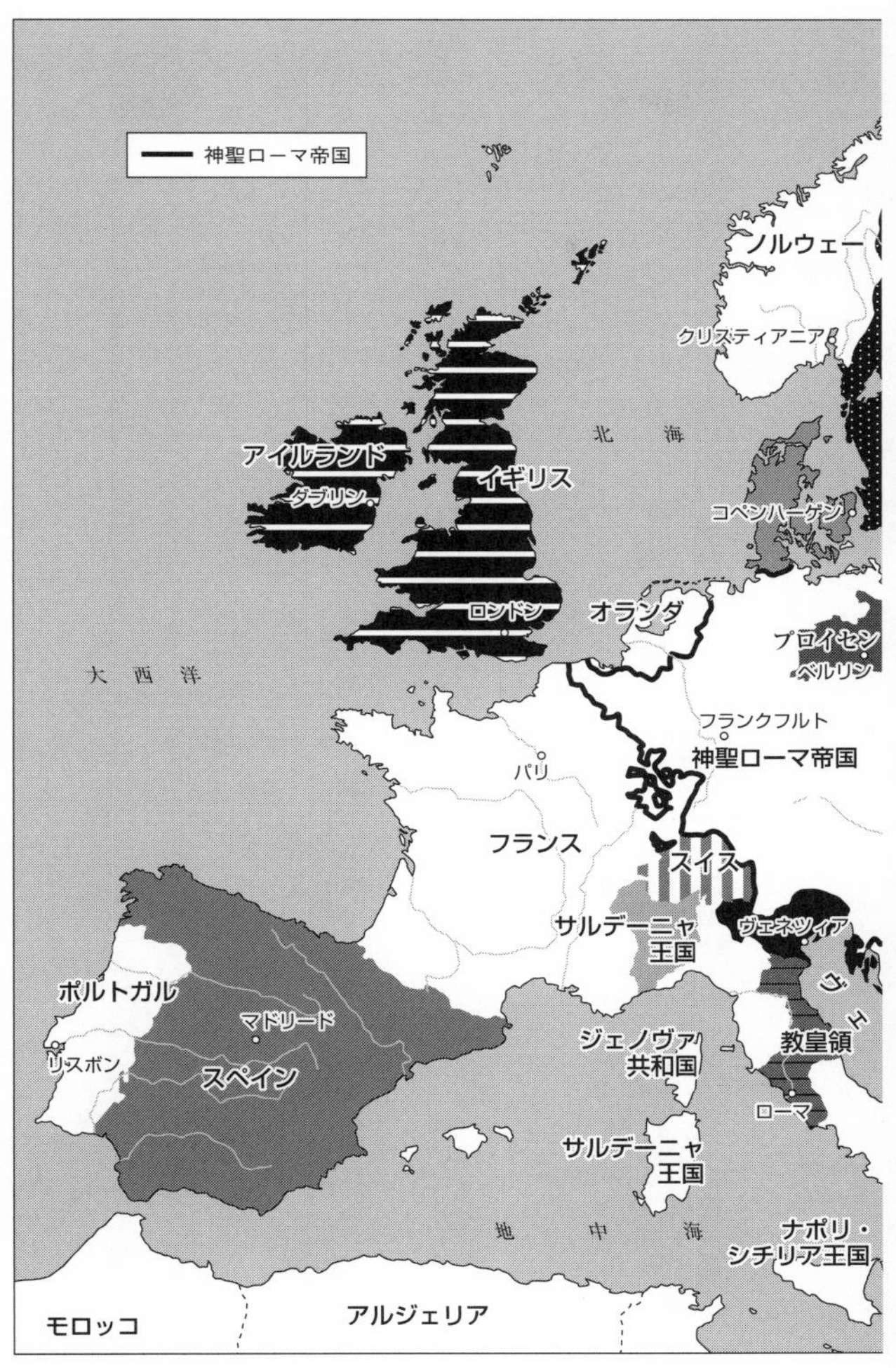

1721 年頃のヨーロッパ

第2章 道徳感情論

柘植尚則

1 道徳感情論の形成

†感情主義

「啓蒙の世紀」である一八世紀のヨーロッパは、啓蒙を唱えた思想家たちが人間の「理性」を重んじたことから、「理性の時代」とも呼ばれる。そのため、啓蒙の世紀ではもっぱら理性が重んじられたとしばしば考えられているが、けっしてそうではない。多くの思想家は「感情」も重んじたし、なかには、理性よりも感情を重んじる者もいた。思想家たちがめざしたのは、理性と感情をともに有する、自然のままの人間、すなわち、「人間の本性（human nature）」を明らかにすることであった。

そして、啓蒙の思想家たちのなかでも、感情を重んじたことで有名なのは、「スコットランド啓蒙」の思想家たち、とくに、フランシス・ハチスン（一六九四〜一七四六）、デイヴィッド・ヒューム（一七一一〜一七七六）、アダム・スミス（一七二三〜一七九〇）である。ハチスンはスコットランド啓蒙の父と称される思想家であり、ヒュームとスミスはスコットランド啓蒙を代表する思想家である。スコットランド啓蒙の大きな特徴は、まさに、感情を重んじたことにある。

ハチスン、ヒューム、スミスの立場は「感情主義」と呼ばれている。一八世紀のイギリスでは、「道徳判断の起源」をめぐって、「理性主義」と「感情主義」が対立した。善や悪、正や不正、徳や悪徳はどのようにして知られるのか。理性主義者は、道徳判断は理性や知性によってなされると主張した。それに対して、感情主義者は、道徳判断は感覚によってなされる、あるいは、道徳判断そのものがある種の感情、すなわち、「道徳感情（moral sentiment）」であると主張した。

道徳感情とは、道徳的な「是認」や「否認」、「称賛」や「非難」の感情のことである。われわれは、行為、動機、性格などを、徳や悪徳として是認したり否認したり、また、称賛したり非難したりする。このような道徳感情の本性や起源を探究したのが、感情主義者たちである。道徳感情論は、ハチスンによって形成され、ヒュームによって展開され、スミスにおいて完成した。ハチスンは、道徳感情が「道徳感覚（moral sense）」から生じると主張し、ヒュームは、ハチスンを継承しつつ、道徳感情を「共感（sympathy）」から説明し、スミスは、ヒュームとは異なる仕方で、道徳感情を共感から説明した。そこで、彼らの感情主義は「道徳感覚学派」とも呼ばれている。

以下では、ハチスンの道徳感覚論について簡単に見たうえで、ヒュームとスミスの道徳感情論について詳しく見ることにしたい。

†ハチスンの道徳感覚論

ハチスンは、『美と徳の観念の起源』（一七二五年）で、徳や悪徳の知覚について論じている。

まず、ハチスンは、道徳的な善である「徳」と自然的な善である「利益」を区別し、徳が利益と異なる仕方で知覚されると主張している。寛大な人や高貴な人に対する感情と、豊かな土地や便利な住居に対する感情は、まったく異なる。有徳な人は、それを見る人のうちに、是認や称賛の感情を生み出すが、有益な物は所有欲しか生み出さない。だが、徳の知覚がなければ、有徳な人は有益な物と同じように評価されるだろう。それゆえ、利益の知覚とは異なる、徳の知覚があるはずである。

そして、ハチスンは、この徳の知覚が「感覚」によるものであると主張している。われわれは、有徳な行為を見ると直ちに、自分の意志に関わりなく、徳の観念を受け取る。徳の知覚は直接的で受動的であり、それゆえ、感覚によるものと考えられる。ハチスンはこの感覚を「道徳感覚」と名づけている。

では、道徳感覚とはどのような感覚か。ハチスンによれば、われわれは、道徳感覚によって、徳や悪徳を知覚し、徳を是認したり、悪徳を否認したりする。つまり、徳や悪徳の観念を受け取り、徳の観念に快楽を感じたり、悪徳の観念に不快を感じたりする。この快楽が是認の感情であり、この不快が否認の感情である。さらに、われわれは、道徳感覚によって、徳を愛したり、悪徳を憎んだりするようになる。このように、道徳感覚は、徳を是認し、それを愛するように、そして、悪徳を否認し、それを憎むように規定するものである。また、ハチスンの考えでは、道徳感覚は、理性による反省を介さずに、利害についての意見に先立って、徳や悪徳を知覚するように規定するものである。

さらに、ハチスンは、『道徳感覚についての例証』（一七二八年）で、道徳感覚と理性の関係について論じている。感覚はしばしば誤った観念を与える。その場合、理性は、以前に得られた観念に照らして、誤った観念を訂正する。とはいえ、観念そのものは、理性に先立って、感覚によって与えられる。同様に、道徳感覚が混乱して、ふつうは是認する行為を否認することもある。その場合、理性は、過去の事例や常識を示して、誤った判断を訂正する。とはいえ、徳や悪徳の観念そのものは、理性に先立って、道徳感覚によって与えられるのである。

2 道徳感情論の展開——ヒューム

次に、ヒュームは、『人間本性論』(一七三九〜一七四〇年)で、徳と悪徳の区別について論じている。

†理性と情念

まず、ヒュームは「理性」と「情念」の関係について考察している。

われわれは、ある対象が苦痛や快楽をもたらすことに気づくと、その対象への嫌悪や欲求といった情念をもつ。そして、その情念から意志が生じる。そのとき、理性は、その対象の原因や結果について考えることで、意志を導く。とはいえ、意志を生み出すのは情念であり、理性だけで意志を生み出すことはできない。それゆえ、理性は意志を妨げることもできない。情念と対立したり、情念を阻止したりできるのは、反対の情念だけである。

そして、われわれは、「理性と情念の争い」について語るときには、厳密かつ哲学的に話しているのではない。「理性は情念の奴隷であり、ただそうあるべきであって、情念に仕え、従うこと以外のいかなる役目もけっして任じることはできない」。情念が理性に反することがあるとすれば、情念が現実には存在しない事物を想定しているか、目的に対して不十分な手段を選択している場合だけである。だが、その場合、理性に反しているのは、正確に言えば、情念ではなく、情念に伴う誤った判断である。そして、情念は、誤りに気づくとすぐに、まったく対立することなく、理性に譲歩するのである。

また、理性は情緒を生み出さないが、情念のなかにも、情緒を生み出さないものがある。そして、そうした情念は、穏やかで、心を混乱させないときには、理性による決定と間違えられる。そうした情念と理性が与える感じは明らかに異なるわけではない。そのために、両者は同じものと考えられてきたのである。さらに、情念には、穏やかなものと激しいものがあるが、激しい情念だけが意志を導き、穏やかな情念は影響力をもたないと考えられてきた。だが、両者はともに意志に作用するのであり、ときには、穏やかな情念が激しい情念に勝るのである。

このように、ヒュームは、意志を生み出すのは情念であって、理性だけでは意志を生み出すことはできず、また、理性は情念の奴隷であって、理性と情念が対立することはありえないと主張している。そして、「理性と情念の争い」を穏やかな情念と激しい情念の争いとして説明している。ヒュームの考えでは、人間を根底において動かしているのは、理性ではなく、情念であり、人間は、理性と情念の争いではなく、さまざまな情念の争いのうちにある。

そして、ヒュームは、このような情念的な人間観を前提として、徳と悪徳の区別、すなわち、「道徳的区別」の起源について考察している。

†道徳的区別

心に現れるものはすべて「知覚」であり、徳と悪徳を区別することも知覚である。そして、知覚は「印象」と「観念」に分けられる。印象とは、心のうちにはじめて現れる生き生きとした知覚であり、観念とは、それが記憶や想像において再現されたものである。そこで、道徳に関して、次の問いが生じる。「われわれが徳と悪徳を区別し、ある行為を非難すべきである、あるいは、称賛に値すると表明するのは、観念によるのか、それとも、印象によるのか」。そして、観念について考える能力が「理性」であり、印象を受け取る能力が「感覚」である。それゆえ、この問いは、道徳的区別は理性によるのか、それとも、感覚によるのか、という問いにほかならない。

この問いに対して、しばしば、道徳的区別は理性によると主張される。しかし、道徳は情念や行為に対して影響力をもっている。たとえば、人々は、ある行為が不正義であるとして、その行為を思い止まったり、別の行為が責務であるとして、その行為に駆り立てられたりする。それゆえ、道徳が理性に由来することはありえない。なぜなら、（理性と情念の関係に関して）すでに証明したように、理性だけではそうした影響力をもつことができないからである。「道徳は、情念を引き起こし、行為を生み出したり妨げたりする。理性そのものは、この点ではまったく無力である」。それゆえ、道徳的区別は理性によるものではない。

そこで、道徳的区別が理性によらないとすれば、それは感覚によるはずである。それゆえ、「道徳は、より正確には、判断されるというよりも、感じられるのである」。この感情は、穏やかであるために観念と混同されるとはいえ、特定の種類の快楽や苦痛であり、感覚によって受け取られる。「ある行為、感情、性格は、有徳であったり、悪徳であったりする。なぜか。それを見ると、特定の種類の快楽や不快が生じるからである。……徳の感覚をもつことは、ある性格を眺めて、特定の種類の満足を感じることにほかならない。まさにその感情がわれわれの称賛や賛美をなしている」。つまり、ある性格に特定の快楽を感じることが、まさに、それを有徳と感じることなのである。

†共感

このように、ヒュームは、道徳的区別は理性ではなく感覚によると主張している（「道徳判断」ではなく「道徳的区別」という語が用いられるのも、そのためである）。そして、ハチスンと同じく、この感覚を「道徳感覚」と呼んでいる。だが、ヒュームはさらに、道徳的区別を「共感」から説明している。

ヒュームによれば、共感とは、「観念を印象に変える」ことによって「感情や情念の伝達」を行うという心の働きである。他人の感情は、他人の顔つきや会話に表れる外的な印によって知られ、それらの印が感情の観念を伝える。この観念は、すぐに印象に変えられ、活気を得て、感情そのものになる。この共感について、ヒュームは次のように説明している。たとえば、他人の激しい咳はわれわれを不安にする。また、息が臭いと言われたら、がっかりするだろう。われわれは、想像によって、容易に立場を変える。そして、他人が感じているとおりに他人を察したり、他人に見えるとおりに自分を眺めたりすることで、われわれには属さず、共感だけがわれわれに関心をもたせるような感情に入り込む。

そして、ヒュームは、この共感が「道徳的区別の主要な源泉である」と主張している。たとえば、正義が称賛されるのは、公的な善をもたらすからであるが、公的な善は、共感がわれわれに関心をもたせないかぎり、われわれにとって重要ではない。われわれが正義を称賛するのは、正義から利益を受ける人々に共感するからである。また、巧みに仕事をする人を見ると、私は敬意を感じる。この場合、巧みさという性質はその人の幸福に役立つものであり、その人の幸福は私には関係がない。にもかかわらず、私が敬意を感じるのは、その人の幸福に共感するからである。このように、共感は道徳的区別において不可欠である。

ヒュームが道徳的区別を共感から説明したことは、「道徳感覚」がハチスンとヒュームでは異なることを示している。ハチスンは、徳と悪徳を知覚する能力があると考え、それを道徳感覚と呼んだ。それに対して、ヒュームは、そのような特殊な能力を想定せず、道徳的区別が共感の作用に基づくと考えた。ヒュームの道徳感覚が表しているのは、じつのところ、徳や悪徳に対する是認や否認など、さまざまな「道徳感情」である。

†一般的観点

さらに、ヒュームは道徳的区別（道徳感情）の客観性の問題について考察している。

ヒュームはまず、次のような反論を想定している。共感は変わりやすい。それゆえ、道徳感情も同じように変わるはずである。われわれは、縁遠い人よりも身近な人に、見知らぬ人よりも知り合いの人に、外国人よりも同国人に共感する。しかし、共感の違いにもかかわらず、同じ性格を同じように是認する。それらは等しく有徳であり、それらを見る人の尊重を等しく受ける。それゆえ、そうした尊重は共感から生じるのではない。

そして、このような反論に対して、ヒュームは次のように答えている。われわれの立場はつねに動いており、隔たった人が少しすると親しい知人になったりする。しかも、あらゆる人は他人に対して特定の位置にあり、それぞれが他人を特定の観点だけから考察しようとすれば、われわれは分別をもって交際することもできない。それゆえ、絶えざる矛盾を防ぎ、安定した判断に至るために、われわれは「不動で一般的な観点」を定め、考察するときには、自分の現在の立場がどうであれ、つねに自分をその観点に置くのである。

このように、ヒュームは、共感が変化しやすいことを認めたうえで、一般的観点をとることで、道徳的区別がより安定すると主張している。「ある性格が、それを道徳的に善や悪であると呼ぶような心情や感情を生じさせるのは、それが、われわれの特定の利害に関わりなく、一般的に考察される場合だけである」。

さらに、ヒュームは、一般的観点からなされる道徳的区別がより恒常的で普遍的であると主張している。個人の快楽や利益は異なる。それゆえ、われわれは、対象が同じように見える「共通の観点」を選ばなければ、感情や判断を一致させることができない。そして、性格について判断する場合、同じように見える唯一の快楽や利益は、その性格をもつ人のものか、その人と関わりのある人のものである。そうした利益や快楽は、われわれ自身のものに比べ、あまり心を動かさないとはいえ、より恒常的で普遍的である。したがって、それらだけが、徳と道徳の基準として認められ、道徳的区別が依拠する特定の感情を生み出すのである。

3　道徳感情論の完成――スミス

†共感

続いて、スミスは、『道徳感情論』(一七五九年／第六版、一七九〇年)で、道徳感情の本性や起源について論じている。

まず、スミスは、道徳感情の起源である「共感」について説明している。われわれは、他人の感情をじかに知ることができない。そこで、想像によって、他人の立場に身を置き、他人がどう感じているかを考えることで、他人と同じような感情をもつ。そして、その感情を他人の感情と比べ、両者が一致するときには、他人の感情を是認し、両者が一致しないときには、他人の感情を否認する。共感とは、「想像上の立場の交換」によって「同胞感情」をもつことであり、さらに、その同胞感情が元の感情と一致することである。そして、この共感から道徳感情が生じるのである。

このように、スミスは、ヒュームと同じく、道徳感情を共感から説明している。だが、スミスの共感はヒュームの共感とは大きく異なる。スミス自身が強調するところでは、「共感は、情念を眺めることよりもむしろ、それらを引き起こす立場を眺めることから生じる」。つまり、想像上の立場の交換に基づくものであり、たんに感情や情念を伝達することではない。スミスの共感はヒュームの共感よりも反省的な作用である（もっとも、想像上の立場の交換という考えは、ヒュームの説明にも見られる）。

そして、スミスは、「適宜性の感覚」や「功績と罪過の感覚」という道徳感情を取り上げ、それらを共感から説明している。適宜性の感覚は、行為者の感情に対する、観察者の直接的な共感から生じる。観察者は、行為者の動機に共感するときには、行為を適正なものとして是認し、行為者の動機に共感しないときには、行為を不適正なものとして否認する。また、功績と罪過の感覚は、行為者の感情に対する直接的な共感、および、関係者の感情に対する間接的な共感から生じる。観察者は、行為者の動機に共感し、受益者の感謝に共感するときには、行為を報奨に値するものとして是認し、行為者の動機に共感せず、被害者の憤慨に共感するときには、行為を処罰に値するものとして否認する。

スミスは、道徳感情に関して、ヒュームの説明を批判している。ヒュームによれば、巧みに仕事をする人に敬意を感じるのは、巧みさという性質がその人にもたらす幸福に共感するからであった。つまり、ヒュームは道徳感情を「効用」への共感から説明している。しかし、スミスによれば、有用な性質が徳として是認されるのは、それが有用だからではなく、適正だからである。道徳感情は効用を知覚することから生じるのではない。

†公平な観察者

先に見たように、スミスは、共感が想像上の立場の交換に基づくと考えている。では、観察者はどこまで立場の交換を行うのか。この問題について、スミスは、「ある人のあらゆる能力は、他人にある同様の能力を判断する尺度である」と述べて、観察者は、行為者の感情と自分の同胞感情を比べるときには、行為者と（能力は交換せずに）状況だけを交換すると主張している。だが、その一方で、「私はあなたと状況を交換するだけでなく、身体と性格も交換する」と述べて、観察者は行為者と（身体や性格を含めて）すべてを交換すると主張している。このように、スミスの説明は明らかに矛盾している。

また、スミスは、共感から道徳感情が生じると考えている。だが、共感は変わりやすい。それゆえ、道徳感情も同じように変わるはずである。この問題について、ヒュームは、一般的観点をとることで、道徳感情がより安定すると主張した。それと同じく、スミスは、「公平な観察者」になることで、道徳感情がより適切になると主張している。

では、公平な観察者とはどのような存在か。スミスは次のように論じている。われわれの利害と他人の利害が対立するとき、それらを適切に比較するには、われわれは自分の位置を変えなければならない。「われわれは、自らの場所からでも、他人の場所からでもなく、また、自らの目でも、他人の目でもなく、第三者の場所から、第三者の目で、それらの利害を眺めなければならない。そして、その第三者とは、どちらとも特別な関係をもたず、われわれの間で公平に判断する者である」。つまり、公平な観察者とは「第三者」すなわち「利害に関わらない観察者」である。スミスは、このような公平な観察者の道徳感情が基準となると考えている。

また、スミスは、公平な観察者からの共感が人間の行為を規制すると考えている。あらゆる人は、他人よりも自分を優先するが、同時に、他人から見れば、自分が大勢の一人でしかないことに気づく。そこで、他人が認めるような仕方で行為しようとする。だが、「彼が、公平な観察者が自分の行動の原理〔動機〕に入り込めるように行為しようとするならば——それは、彼が何よりも欲していることであるが——、彼は、他のすべての場合と同じく、この場合にも、自己愛の高慢の鼻を折り、それを他人がついていけるものに引き下げなければならない」。そこで、人は、公平な観察者からの共感を求めて、みずから自己愛を抑えて行為するようになるのである。

†良心

さらに、スミスは、自己に関する道徳判断〔道徳感情〕について説明している。感情主義の考えでは、道徳判断は「観察者」すなわち〈他者〉の感情である。では、人はいかにして〈自己〉について道徳判断を行うのか。スミスによれば、人が自分を是認したり否認したりするやり方は、他人の場合と同じである。「われわれは、自分を他人の立場に置き、いわば他人の目で、他人の立場から、自分の行動を眺めて、それに影響した感情や動機に完全に入り込み、共感することができる、もしくは、できないと感じるのに応じて、自分の行動を是認したり、否認したりする」。このように、人は、他人の立場から自分を眺めることで、自分について判断する。

さらに、人は、自分のうちに公平な観察者を想定し、この観察者の立場から自分を眺めることで、自分について判断する。この「想定された公平な観察者」が「良心」にほかならない。人は、良心に相談することによってのみ、自分に関わる事柄を正しく見ることができ、自分と他人の利害を正しく比べることができる。そして、良心は、自己に関する判断だけでなく、自己に対する統制も行う。自己愛に対抗できるのは、人間愛や仁愛ではなく、良心である。

もっとも、自己愛のために、良心が偏った判断を下すこともある。しかし、その場合でも、人は「一般的規則」に従って判断することができる。一般的規則は、個々の行為に関する道徳判断に基づいて形成される。人は、この規則を自己に関する判断の基準とし、自己愛の偏った考えを正す。そして、この一般的規則への顧慮は「義務の感覚」と呼ばれる。義務の感覚は、人間にとって最も重要なものであり、多くの人が自分の行為を導くことのできる唯一のものである。

このように、スミスは、人は、他人の立場に立つことで、さらに、自分のうちに公平な観察者を想定することで、あるいは、一般的規則に従うことで、自分について判断することができると主張している。スミスの良心は、ハチスンの道徳感覚のような、実体的な能力ではない。それは、ヒュームと同じく、共感の作用である。そして、スミスは、ハチスンやヒュームの道徳感情論を進めて、自己に関する道徳判断について説明し、良心の形成、働き、限界やその克服について論じている。その意味で、スミスにおいて、道徳感情論は完成を見たといえる。

†道徳感情の腐敗

だが、スミスの道徳感情論は、人間の道徳感情を無批判に称揚したり、無条件に正当化したりするものではない。スミスは、道徳感情そのものが「腐敗」することについても論じている。

スミスによれば、一般には、他人の喜びに共感する性向よりも、他人の悲しみに共感する性向のほうが強いと思われているが、現実には、その逆である。他人の喜びはわれわれの心をそれほど引き上げないが、他人の悲しみはわれわれの心を大きく引き下げる。そもそも、「喜びに共感することは快い。……しかし、悲嘆についていくことは苦しく、われわれはつねに嫌々ながらそれに入り込む」。そのため、われわれは、他人の喜びよりも悲しみに共感することに困難を感じるのである。

そして、他人の喜びに共感する性向が他人の悲しみに共感する性向よりも強いことから、裕福な人や地位の高い人に感嘆し、貧しい人や地位の低い人を軽蔑する性向が生じる。われわれは、裕福な人や地位の高い人が幸福であると考えると、その人たちの喜びにますます共感し、彼らに感嘆する。反対に、貧しい人や地位の低い人が不幸であると考えると、その人たちの悲しみにますます共感できず、彼らを軽蔑する。じっさい、多くの人は他人に富を見せびらかし、貧困を隠そうとするが、それは、人間が他人の悲しみよりも喜びに共感する傾向をもっているからである。

そのうえで、スミスはこう主張している。「裕福な人々や有力な人々に感嘆し、彼らをほとんど崇拝し、他方、貧しく地位の低い人々を軽蔑するか、少なくとも無視する、というこの性向は……われわれの道徳感情の腐敗の、大きな、そして最も普遍的な原因である」。スミスの考えでは、「尊敬」はもともと徳に向けられるものであるが、裕福な人や地位の高い人に感嘆するという性向のために、富や地位にも向けられる。そして、富や地位に対する尊敬は、徳に対する尊敬と異なるにもかかわらず、それと間違えられる。さらに、裕福な人や地位の高い人の悪徳や愚行に対する軽蔑や嫌悪は、富や地位に対する尊敬によって弱められるか、打ち消される。こうして、道徳感情は、本来の仕方で表れなくなるか、まったく表れなくなるのである。このように、スミスは、道徳感情の腐敗を人間の性向から説明し、道徳感情そのものに限界があることも指摘している。

4 道徳感情論の可能性

†道徳感情論に対する批判

以上が、ハチスン、ヒューム、スミスの道徳感情論である。この道徳感情論に対して、同時代の理性主義者はさまざまな批判を行っている。

たとえば、ジョン・バルガイ（一六八六〜一七四八）は、ハチスンの道徳感覚論を次のように批判している。第一に、道徳感覚は気まぐれで変わりやすい。第二に、道徳感覚だけが徳を是認するとすれば、知性は役に立たないことになる。第三に、道徳感覚が行為から快楽や苦痛を受け取るように規定するとすれば、獣でも徳を是認できることになる。第四に、道徳感覚が強いほど、徳に対する是認が強くなるが、道徳感覚の強さに応じて徳が変わることは、徳の価値を下げるものである。そして、第五に、道徳感覚という考えは、理性を徳について判断できないものとし、その品位を貶めることになる。

また、リチャード・プライス（一七二三〜一七九一）も、ハチスンの道徳感覚論を批判している。ハチスンは、道徳的な観念を、行為を快いと感じさせる道徳感覚から導いている。だとすれば、徳は好みの事柄になり、正しさや善さも快い感情に帰されるだろう。プライス自身は、行為の「美醜」の知覚、すなわち、行為がもたらす特定の快楽や苦痛の知覚が存在することを認めている。だが、美醜の知覚は「徳と悪徳」や「正と不正」の知覚に伴うものであって、それらと同じではないし、そもそも、それらは知性によるものであると主張している。

さらに、トマス・リード（一七一〇〜一七九六）は、ヒュームやスミスの道徳感情論を批判している。感覚はその対象について判断する力能であり、道徳感覚は「道徳に関して判断する力能」である。だが、ヒュームは道徳感覚を「判断せずに感じる力能」と見なす。それは言葉の誤用である。また、ヒュームやスミスは、道徳的な是認を「感じ」に置き、判断を有しない感じを表すのに「感情」という語を用いる。これも言葉の誤用である。道徳的な決定は「道徳感情」と呼ばれてもよいが、それは、感情という語が「単なる感じ」ではなく「感じを伴った判断」を表すからである。

理性主義者の批判のなかでも、リードの批判は決定的なものと見なされ、道徳感情論の後退をもたらすことになった。さらに、リードが「道徳の第一原理」を問題にしたことや、ベンサム（一七四八〜一八三二）が「功利性の原理」を唱えたことなどから、一九世紀のイギリスでは、思想家たちの関心は「道徳判断の起源」から「道徳の原理」へと移り、道徳感情論は終焉を迎えることになった。

†道徳感情論の現代的意義

しかし、ハチスン、ヒューム、スミスの道徳感情論は、けっして過去のものではない。たとえば、現代の倫理学には、道徳判断の特性について考察する「メタ倫理学」という分野がある。メタ倫理学にはさまざまな立場があるが、そのなかには、道徳判断を感情などの表出と捉える立場もあり、道徳感情論はそうした立場の古典的な議論と考えられている。また、メタ倫理学では、道徳における判断と行為のつながりが主題の一つとされているが、道徳感情論は、道徳判断が道徳的行為を動機づけるという主張の典型と見なされている。とくに、「道徳は、情念を引き起こし、行為を生み出したり妨げたりする」というヒュームの考えは、道徳判断と感情の密接な関係や、道徳判断の特性を的確に捉えたものとして、現代でも高く評価されている。

また、現代の倫理学には、徳を道徳の原理とする「徳倫理学」という立場がある。徳倫理学は、幸福を道徳の原理とする「功利主義」や、義務を道徳の原理とする「義務論」に対抗する、第三の立場として唱えられている。そして、道徳感情論は、徳を考察の対象にしていることから、アリストテレスの倫理学と並んで、徳倫理学の中核をなすものと捉えられている。

このように、ハチスン、ヒューム、スミスの道徳感情論は、現代の倫理学でも重視されており、歴史的な意義だけでなく、現代的な意義も有している。

さらに、道徳感情論には、より大きな現代的意義がある。近代の西洋哲学では、「理性主義」が主流であった。だが、理性主義は、人間の尊厳を高める一方で、人間に対する見方を狭めることになった。さらに、現代になると、理性主義の人間観に異を唱える考え方も現れた。それをうけて、理性主義に対する反省が始まり、今日に至っている。そのような状況にあって、理性主義の対極にあり、近代西洋哲学の傍流であった「感情主義」の道徳感情論は、大きな可能性をもっている。

ハチスン、ヒューム、スミスの道徳感情論は、議論の広さや深さにおいて、他の時代や地域と比べても、類を見ないものである。それは、理性主義と同じく、極端な議論である。だが、そうであるからこそ、現代において、人間や道徳について改めて考察する手がかりを与えている。

ヴィンセント・M・ホープ『ハチスン、ヒューム、スミスの道徳哲学――合意による徳』（奥谷浩一・内田司訳、創風社、一九九九年）……ハチスン、ヒューム、スミスの道徳哲学を比較し、道徳感情論がどのように発展したのかを明らかにしている。さらに、ヒュームとスミスの議論に基づいて、公正、権利、責務、徳、道徳的知識について考察している。

柘植尚則『イギリスのモラリストたち』（研究社、二〇〇九年）……近代のイギリスを代表する一二名のモラリストを取り上げ、その基本的な考えを紹介している。第二部「感情と理性」で、ハチスン、ヒューム、スミスの倫理思想について、それぞれ一章を割いて概説している。

泉谷周三郎『ヒューム』（研究社出版、一九九六年）……ヒュームの生涯を辿りながら、その思想の全体像を紹介している。第二章で、『人間本性論』「第一巻　知性について」「第二巻　情念について」「第三巻　道徳について」の主要な議論をコンパクトに説明している。

高哲男『アダム・スミス――競争と共感、そして自由な社会へ』（講談社選書メチエ、二〇一七年）……スミスの『国富論』と『道徳感情論』を一貫した体系と捉えて、その要点を分かりやすく解説している。第二部で、『道徳感情論』第一～五部の主な内容を、スミス自身の議論の流れに即して紹介している。

神野慧一郎『我々はなぜ道徳的か――ヒュームの洞察』（勁草書房、二〇〇二年）……大脳生理学や心理学の知見を踏まえて、ヒューム的な観点から、道徳感情論の問題について考察している（第五・六章）。併せて、さまざまな道徳説における道徳感情論の位置づけについて検討している（第八章）。

コラム2 時空をめぐる論争

松田 毅

「時間とは何か」、「時間はどのように有るのか」は、時間の哲学の基本問題である。ニュートン（一六四三〜一七二七）の『プリンキピア』（一六八七年）が集大成した、物理学の革命を通じて、二つの問いは相対論と量子論、その哲学的考察にも継承されている。

実際、アインシュタイン（一八七九〜一九五五）の特殊相対論の登場以前、古典力学の時間は空間から独立の変数であった。ニュートンは、それを「絶対時間」と呼び、感覚的量と区別し、「外部の何ものにも無関係にそれ自ら流れる」一様同質なものとした。これは、物体運動の一義的測定の保証のためであった。時間を精密に測定する基準になるほど一様な運動は存在しないかもしれず、どんな運動にも加速や減速があるかもしれないとしても、絶対時間の進行だけは何の変化も受けず、いつも同じである、と考えたのである。しかし、ニュートンが、それを、「神の感覚器官 sensorium」と呼び、「容器」のような印象を与えたことも一因となり論争が生じた。以降、時間の哲学は新段階に突入する。

争点は、その種の時間を措定せずにも物理学は可能ではないか、という疑問と、そうだとすれば、物理学の時間がどのように有ると考えるべきかであった。これを、クラークを通じニュートンに突きつけたのが、ライプニッツであり、その論争を超越論哲学の問いにまで深化したのが『純粋理性批判』のカントである。

　ライプニッツが構成して見せたのは、充満した無数の場所の総体として絶対空間と同じ機能を有する「空間」であるが、ライプニッツは、一般に、空間と時間をパラレルなものと見なしたので、同じことが時間にも妥当するだろう。したがって、具体的運動は、何であれ、構成された空間に写像され、そこに運動相互の関係も一義的に記述されるならば、絶対空間をものとして措定する必要はなく、絶対時間も同様であると考えられる。つまり、可能的な「同時性の秩序」と「継起の秩序」が絶対空間と絶対時間の十分な代替者とされる。逆に、この限りの空間と時間は、運動や変化の担い手の差異の「抽象」の結果である以上、「不可識別者同一の原理」から見れば、質的に無差別の「観念的」存在にとどまる。

　カントも、一言で言えば、観念的存在としての時間を超越論的に解釈し、認識者としての人間主観の「感性的直観」の可能性の条件制約、つまり経験的認識の枠組みとして、言わば超越論的主観へと「内在化」したのである。

　近年のライプニッツ研究は、時間と空間の非対称性にも着目し、時間の矢のような方向性、「部分と全体」の観点からの「瞬間」と時間の「連続体合成の迷宮」、「輪廻」とも関わる「永遠回帰」の循環的時間の問題まで検討し始めており、目が離せない状況が続く。

第3章 社会契約というロジック

西村正秀

1 一七〜一八世紀のヨーロッパにおける社会契約論

†主権国家の進展と社会契約論

一七世紀を経て一八世紀に突入したヨーロッパを人類の文明史という観点から描いた場合、その最も際立った特徴として挙げられるのは、「近代主権国家の進展」という政治社会的事象であろう。主権国家とは、ある統治機関が他の機関からの干渉を受けずに領土内を統一的に治める国家体制である。この国家体制は現在でこそ世界中で見られるが、その発生は一六世紀ヨーロッパであった。一六世紀はこれまでの封建国家から主権国家への転換が生じた時期であり、一七世紀には、主権国家同士の争いは、これまた一六世紀から各地で起こった宗教戦争と複雑に絡み合いながら激化の一途をたどった。当初は、多くの主権国家が絶対君主制をとっていたが、一七世紀にはイギリスで、一八世紀にはフランスで市民革命がおこり、主権国家の体制は絶対君主制から立憲君主制や共和制へと変化していった。また、この流れはヨーロッパ以外の地域にも影響を与え、一八世紀にはイギリスの植民地であったアメリカの独立戦争につながっていった。

本章で扱う社会契約論は、この激動の時代のヨーロッパゆえに展開された理論である。社会契約論とは、政治的正統性や政治的権威は何に基づいているのか、易しい言い方をすれば、なぜ私たちは国家の法律や決まりに従わなければならないのかという問題に、「それは各人が自分の権利を放棄してそのような統治機関を設立することに合意したから」という仕方で、すなわち契約という仕方で答えを与える政治哲学理論である。社会契約論の提唱者には、トマス・ホッブズ（一五八八～一六七九）、バールーフ・デ・スピノザ（一六三二～一六七七）、ジョン・ロック（一六三二～一七〇四）、ジャン＝ジャック・ルソー（一七一二～一七七八）、イマヌエル・カント（一七二四～一八〇四）などがいる。

社会契約論は、その発想自体は古代ギリシアから存在し、現代でも二〇世紀後半のジョン・ロールズによるリバイバルをきっかけとして活発に議論されている。さらに、社会契約論は、ロックの提案した抵抗権がアメリカ独立戦争に影響を与えたり、ルソーの人民主権的アイデアが日本の明治時代の自由民権運動に影響を与えたりするなど、時代や地域を超えて受容されている。だが、社会契約論が一七〜一八世紀ヨーロッパで開花したのは、それなりの理由がある。一六世紀におけるプロテスタントの出現は従来のカトリック的な世界のヒエラルキーの崩壊をもたらしていた。そのような背景のもと、宗教的権威に頼らない新しい政治的正統性の理論として社会契約論が要請されたのである。

本巻は一八世紀啓蒙主義における理性偏重主義（理性を過度に信頼して人間性や感情を軽視する立場）への反省をテーマとしているが、社会契約論は次の点でこのテーマと関係している。基本的に、社会契約論は人間の理性に主導的役割を与えていた。だが、理性だけがこの理論で活躍したのかと言えば、必ずしもそうではない。特に、いくつかの社会契約論では、キリスト教が様々な仕方で役割を果たしていた。では、それはどのような役割であったのか。また、その役割は理性とどのような関係を持っていたのか。これらの問いへの答えは、理性偏重主義への反省がヨーロッパの政治哲学においてどのように試みられていたのか（あるいはいなかったのか）を探る上でのヒントとなるであろう。

本章では、次の順序で「社会契約というロジック」の内実を見ていく。最初に、ホッブズとスピノザの理論を概観する。ホッブズとスピノザ（そして、次に出てくるロック）は一七世紀の哲学者であるが、来る啓蒙主義を準備した哲学者である。ホッブズとスピノザの理論には、まだ理性に対する反省はほとんど見られない。彼らの理論からは、感情に基づく行為が理性によって抑え込まれていく様が確認できるであろう。次に、キリスト教との関係を視野に入れながら、ロックとルソーの理論を解説する。一七世紀のロックと一八世紀のルソーは、それぞれの社会契約論において、キリスト教にまったく異なる役割を与えた。この相違は、一八世紀啓蒙主義における理性偏重主義への反省を反映したものとして解釈できるであろう。

†社会契約論の基本構造と基本的道具立て

各哲学者の社会契約論を具体的に見る前に、準備運動として、社会契約論の基本構造と基本的道具立てを確認しておこう。まず社会契約論の基本構造であるが、これはいたってシンプルである。「統治機関を設立してその正統性や権威を正当化するのは各構成員の合意である」というのが社会契約論の中核的アイデアであった。このアイデアに説得力を持たすために用いられるのは、「もし統治機関がない世界で人間が生活を送ったら」という思考実験である。このような世界では、自分の欲求を満たすという人間の利己的性格が容赦なく発揮されて、様々な争いが生じると予測できる。だが、この世界には警察も裁判所もないので、争いは上手く解決できない。そこで、人々は多少窮屈な思いをしても、自分たちを法的拘束のもとで保護してくれる統治機関を合意によって設立するというのが社会契約論の基本構造である。

この思考実験は、一七〜一八世紀の社会契約論では「自然状態、自然法、自然権」という道具立てを用いて展開されることが多い。そこで、次にこれらの道具立てを簡潔に説明しておこう。まず「自然状態」とは、統治機関が存在する前の世界のことである。自然状態は、社会契約論の思考実験を行う上で欠かすことができない設定である。自然状態でも何らかの決まりがあるのか、自然状態で生活する人間はどのような本性を持つのか、自然状態は現実的に存在するのかなどについては、各哲学者で見解が異なる。

次に「自然法」であるが、これは自然状態において人間に与えられている道徳規則のことである。自然法は古代ギリシアから提唱されてきた概念であり、①万人に適用される、②理性だけで認識できるという特徴を有している。自然法には、人々を社会契約に導く規則となる、実定法の基礎となるなど、哲学者によって様々な役割が与えられている。最後に「自然権」であるが、これはその名の通り各人に自然状態で与えられている権利のことである。どのような権利が与えられているのかは各哲学者によって異なるが、自然権を放棄して統治機関を設立するというのが、社会契約の標準的なあり方である。

2 ホッブズとスピノザ

†ホッブズの社会契約論

では、いよいよ各哲学者の社会契約論を見ていこう。本節では、ホッブズとスピノザの社会契約論を簡単に紹介する。

まずホッブズから始めよう。ホッブズは一七世紀イングランドの哲学者であり、主著『リヴァイアサン』（一六五一年）で社会契約論を提出した。一六四二年から九年間続いたイングランド内戦を経験したホッブズは、社会の安定を確保するために絶対君主制を擁護した。その擁護に用いたのが社会契約論である。

ホッブズの理論に特徴的なのは、人間を極めて利己的なものとして描いた点である。人間の行為は欲求と嫌悪という二種類の感情によって引き起こされる。「すべての人の意志による行為の目的は、その人自身に対する何かの利益である」（『リヴァイアサン（一）』第一四章、二二〇頁）という文言が示すように、人間は自己保存と欲求充足を目指す利己的な存在者として特徴づけられた。このような人間が暮らす自然状態は戦争状態に他ならないというのがホッブズの推察である。人間には自己保存と欲求充足のために自分の力を用いる自由が自然権として与えられている。自然状態では、各人は自然権を行使して己の欲求を満たすために無制限に行為する。そうすると、物を手に入れるための競争、互いの不信感、自分の優位性を他人に示そうとする行為が生じて、「万人の万人に対する戦争」という戦争状態が生じるというわけである。

では、この戦争状態はどのようにすれば回避できるのか。ここで重要な役割を果たすのが理性である。人間は理性によって戦争状態を回避するための道徳規則、すなわち、自然法を認識できる。ホッブズが言う自然法には、「各人は平和を獲得する希望がある限り、それに向かって努力するべきであり、そして、それを獲得できないときには、戦争のあらゆる援助と利点を求めかつ利用してよい」（『リヴァイアサン（一）』第一四章、二一七頁）という第一の自然法を軸に、互いの自由を制限し合うことを説く自然法や合意を守ることを説く自然法など、計一九個が挙げられる。これらの自然法の認識を通じて、人間は自然権を放棄して統治機関を設立するという社会契約を行うのである。

だが、なぜ社会契約で設立される統治機関は絶対君主制になるのであろうか。ホッブズによれば、人間は利己的なので、自分が出し抜かれないためには全員が同じ仕方で自然権を放棄しなければならない。放棄された全員分の自然権は、契約とは関係ない第三者（主権者）に譲渡されうる。その結果、この第三者は法的制約を受けない存在となる。また、立法権、行政権、司法権などあらゆる権力は、権力が分割されるとそれぞれの部局間で争いが生じるので、分割されずに同じ主権者に付与されるべきだとされる。さらに、自己保存の達成が社会契約の目的なので、主権者がその目的を果たしている限り、市民が主権者に抵抗することは許されない。このような理由から、ホッブズは絶対君主制を正当化したのである。

†スピノザの社会契約論

次に、スピノザの社会契約論に移ろう。スピノザは一七世紀ネーデルラント共和国の哲学者である。スピノザはいわゆる大陸合理主義の系譜に属するが、デカルト哲学にユダヤ思想やホッブズ哲学などを融合させた独自の思想体系を展開した。スピノザの社会契約論は主に『神学・政治論』（一六七〇年）第一六章で述べられているが、そこで使用される諸概念は『エティカ』（一六七七年）など他の著作でも展開されている。スピノザはホッブズから影響を受けているが、彼が擁護する政治体制は絶対君主制ではなく、一種の民主制である。この相違はスピノザの自由概念に起因する。スピノザの社会契約論は、国家において個人の自由がどこまで許されるのかという問題に答えるための道具立てであった。そこで、スピノザの自由概念の確認から始めよう。

自然状態における自由を認めていたホッブズに対して、スピノザは自然状態において人間は本当の意味では自由ではないと主張した。自然状態における人間の行為原理については、スピノザは自己保存というホッブズと同じ想定をする。自然状態では、人間には自分の欲することを何でも行ってよいという自然権が与えられている。自然状態では、この欲求は理性的なものではなく、外的刺激に引き起こされた感情につき動かされたものである。だが、感情に起因する行為は自由ではない。これはスピノザの自由概念から導かれる。一般的に、自由には「外的に拘束されていない」という消極的特徴づけと「自分自身の決定のみに従う」という積極的特徴づけがある。スピノザが採用するのは後者である。自由とは「自らの本性の必然性によってのみ存在し、それ自身の本性によってのみ行為しようとするもの」である（『エティカ』第一部定義七、七八頁）。このような自己決定による自由概念を採用した場合、外的刺激によって決定された感情に基づく行為は自由ではないことになる。人間の本性は理性であり、「一心に理性の導きのみに基づいて生きる人だけが自由なのである」（『神学・政治論（下）』第一六章第一〇節、一六五頁）。

以上の自由概念は、スピノザにおける社会契約の目的を規定する。自己保存の欲求に無制限に従って各人が行為する自然状態では、人間同士は戦争状態に陥り不安や恐怖にさいなまれる。また、自分に本当に必要かつ有益なものを教えてくれるのは理性であるが、戦争状態ではなかなか理性を育てることができない。ここから、各人はすべての力と権利を譲渡して自分を保護してくれる国家（統治機関）を作る社会契約を行う。スピノザは、このようなプロセスで設立される国家を「民主制」と呼ぶ。スピノザの民主制とは、「できることすべてにおよぶ至高の権利をまとめて所持している、人間同士のまとまりの総体」である（『神学・政治論（下）』第一六章第八節、一六二頁）。これは要するに、市民全員から構成される共同体を主権者と見なすということである。この共同体は、自分自身は法的に制限されることなく、市民に対して法律に従うことを要求する。この点はホッブズにおける主権者と似ているが、その役割を担うのが第三者ではなく市民全員からなる共同体であるという点で人民主権が示唆されている。民主制国家の目的は理性を育てて、市民の自由を実現することである。国家は法律によって市民を拘束するが、その法律は自己保存の役に立つ「理性の法律」であり、さらに、その法律を作ったのは共同体の構成員である市民自身に他ならないので、ここに自己決定の自由が成立する。スピノザでは、社会契約によって人間は自由を享受できることになるのである。

以上、ホッブズとスピノザの社会契約論を見てきたが、彼らの社会契約論からは、感情の軽視と理性の尊重が確認できたかと思う。両者とも、感情に基づく行為は戦争状態を生むものとして否定的に評価し、理性を安定した政治社会の実現をもたらすものとして肯定的に評価している。このような理性重視の政治哲学思想は、時代が一八世紀に移っていくにつれて変容を遂げていく。次節ではその変容を、ロックとルソーの対比を通じて確認する。

3 ロックとルソー

†ロックにおける自然状態

ロックとルソーは、活躍した時期が一七世紀と一八世紀に分かれているが、ともに敬虔なキリスト教徒であり、また、理性に一定の信頼を置いていた。本節では、最初に両者の社会契約論を概観し、その後でそれぞれがキリスト教に対してどのような態度をとっていたのか、また、その態度の違いが理性偏重主義への批判とどのような関係を持っているのかを確認する。

まず、ロックから始めよう。ロックは一七世紀イングランドの哲学者である。ロックは人間の知識や信念のソースを経験に求めるイギリス経験主義を提唱したことで有名だが、政治哲学でもその社会契約論などで高い評価を受けている。彼の社会契約論が展開されるのは『統治二論』(一六八九年)である。この本は、ロバート・フィルマー(一五八八頃〜一六五三)が『パトリアーカ』(一六八〇年)で展開した王権神授説を批判する第一部と、ロック自身の社会契約論が描かれる第二部から構成される。以下では『統治二論』第二部に焦点を合わせて、ロックの社会契約論を見ていく。

ロックの社会契約論も自然状態における人間の生活という思考実験から始まる。ロックによれば、自然状態とは次のような状態である。

> 各人が他人の許可を求めたり、他人の意志に依存したりすることなく、自然法の範囲内で、自分の行為を律し、自らが適当と思うままに自分の所有物や自分の身体を処理することができる完全に自由な状態である。（『統治二論』第二巻第二章第四節、二九六頁）

この説明でまず押さえておきたいのは「自然法」である。ロックの自然状態では、人間は自由であるが、それは自然法というルールのもとでの自由なのである。では、自然法は具体的にはどのような内容の規則であろうか。ロックは次のように説明する。

> 各人は自分自身を保存するべきであり、勝手にその立場を放棄してはならないのだが、それと同じ理由から、自分自身の保全が脅かされない限り、できるだけ人類の他の人々をも保存するべきであり、また、侵害者に正当な報復をなす場合を除いては、他人の生命、あるいはその生命維持に役立つもの、すなわち、自由、健康、四肢あるいは財貨を奪ったり、損ねたりしてはならない。（『統治二論』第二巻第二章第六節、二九九頁）

ロックが言う自然法は、「自分と自分の所有物を保全せよ」という命令と、「自分と自分の所有物を犠牲にしない範囲で、他人と他人の所有物も保全せよ」という命令である。この自然法を裏付けるのは、神はすべての人間を平等に創造したという神学的前提である。人間は神の所有物であり、神は人間を生存・繁栄するように創造したので、人間は自分自身だけではなく、他人も可能な限り保全しなければならない。ホッブズとは異なり、ロックは神学的前提に基づいて、人間本性の利己的側面だけでなく利他的側面も強調するのである。

†自然権と所有権

次に押さえるべきポイントは、ロックにおける自然権である。先の『統治二論』第二巻第二章第四節からの引用が示唆しているように、ロックは自分の生命、自由、健康、身体、財貨(これらはひっくるめて「所有物(property)」と呼ばれる)への権利が自然権としてすべての人間に平等分配されていると考えていた。また、それ以外にも、ロックは自然法の執行権や自然法を破る者を処罰する権利を自然権として数えている。ここでロックの理論を際立たせているのは、彼が所有権を自然権として数え挙げている点である。ロックは、各人は自分を保全するべしという自然法に基づいて、所有権をそれに役立つ手段として自然権に含めたのである。

だが、そもそも所有はどのような仕方で成立するのであろうか。ロックの所有権論は、『統治二論』第二部第五章で展開される。自然に存在する物はすべて神が人間に共有物として平等に与えたものである。そのような共有物の私有は、次の段取りで成立する。まず、人間は誰でも自分の身体に対する所有権を持つ。さらに、自分の身体を用いた労働についても、人間は所有権を持つ。ここから、自然に存在する物に自分の労働を加えた場合に、その物についての所有権がその人に生じる。例えば、ある人が野生の樹からリンゴを採ったとしよう。その場合、その人はそのリンゴに自分の労働を付け加えたので、そのリンゴに対する所有権を持つのである。

このように所有は労働の付加によって成立するのだが、ここで労働を付加すれば何でも自分のものにできるわけではないという点に注意されたい。ロックは所有の成立条件に、二つの制約をつけている。第一に、所有は享受できる範囲内のものでなければならない。例えば、食べきれずに腐らせるほど多くのリンゴを採ってはならない。第二に、他人にも同様のものが十分に残されていなければならない。例えば、ある人が土地の一部を囲い込んだ場合、それがその人の所有物となるのは、他人にも十分に土地が残っている場合に限られる。これらの制約は、「可能な限り他人の所有物も保全せよ」という自然法に即したものである。

†社会契約と主権者への制約

これまでのところをまとめておくと、ロックの考える自然状態は、ホッブズやスピノザのそれとは異なり、社会生活がある程度実現された状態であると言える。では、なぜ人間は自然状態を脱して社会契約に至るのか。ロックは自然状態が必ず戦争状態になるとは言っていないが、それでも他人の所有物を暴力で奪おうとする者が出てくる可能性は否定できない。また、そのような者が出てきた場合、自然状態では争いを解決する法律や裁判官が存在しないので、自分や自分の所有物を保全できない。このようなリスクを避けるためには、各人の自然権をある程度譲渡して、所有権を保護してくれる統治機関を設立する方がよいというわけである。

では、統治機関はどのような政治体制をとるのか。また、主権者と市民はどのような関係に立つのか。まず、統治機関の政治体制に関しては、ロックは民主制と寡頭制と君主制（とそれらの混合体制）を挙げている。社会契約によって人々は政治共同体を結成するが、この共同体がどのような政治体制をとるかを決めるのは多数決の原理だとされる。それゆえ、ここで挙げられた政治体制のどれが選ばれるのかは予め決定されていない。次に、主権者と市民の関係については、主権者を選ぶのも市民の多数決であり、その意味で市民の方が主権者よりも力が上である——絶対君主制は否定される。これは市民が政治の責任主体となる人民主権を意味する。

市民は自分たちの中から主権者を選んで、自分たちの所有権を保護することを信託するのである。

だが、市民の方が主権者よりも力が上と言っても、主権者が暴走しないとは限らない。そのような事態を防ぐために、ロックは主権者に制約をつけている。一つは、権力分立である。主権者が持つ権力には、例えば、立法権と行政権があるが、ロックによれば、これらの権力は同一人物や同一部門に与えない方が望ましい。その理由は、もし権力欲にかられた人物が両方の権利を手にした場合、自分に都合の良い法律を設定してそれを執行するというリスクがあるからである。もう一つは、主権者への抵抗権である。主権者は各人の所有物を保全して自然状態における社会よりも良い社会を作る義務を負う。それゆえ、主権者が市民の所有権を保全せず、市民からの信託に背いたと判断される場合には、最終手段として市民はその立法部や行政部を解体することができるのである。

†ルソーにおける自然状態

次に、ルソーの社会契約論を概観しよう。ルソーは一八世紀にジュネーヴ共和国に生まれた哲学者であり、哲学、言語論、教育論、文学、音楽など多くの分野で業績を残した啓蒙主義時代の才人である。ルソーの社会契約論が展開されているのは『社会契約論』(一七六二年)である。また、自然状態と人間本性については、『人間不平等起源論』(一七五五年)と『エミール』(一七六二年)に詳細な記述がある。以下では、『社会契約論』と『人間不平等起源論』を中心に彼の社会契約論を概観する。

まず、ルソーが考える自然状態から見ていこう。『人間不平等起源論』では、人間が自然状態から不都合な状態へと堕落していくプロセスが、原始の時代から近代社会への歴史的歩みとして描かれている——もちろん、これは現実の歴史ではなく仮説として提出されている。ルソーにとって近代社会とは、人々の間に不平等が進行していった到達点である。ルソーは近代社会が成立する前の状態をいくつかの段階に区分する。このうち、厳密な意味で自然状態に相当するのは第一段階の原始状態である。原始状態では、人間は言語も生活技術も住居も持たず、孤独に森の中をさまよう自由な存在者である。人間の行為原理は自己愛と憐れみという感情であり、前者は自己保存へ、後者は自己保存の欲求の緩和へと行為を向かわせる。ルソーはこれらの感情を「自然の徳」として肯定的に評価している。原始状態では人間は平等であり善悪も持たず、社会性は欠くが他人と争いもおこさない。

だが、人口が増えだすと人々は他人との交流が増え、理性が発達し始めて、共同作業を行う段階に移行する。やがて共同体が形成されるが、ここでは各人が互いを評価し、自尊心という感情を持ち始める。そして、人間は農業や冶金を行い、土地を分配して財貨の私有を始める。

私有は不平等を招き、人間同士の争いを激化させる。それを回避するために統治機関が社会契約によって作られるが、これは富者が貧者をだまして私有と不平等を法律で固定する契約である。この社会は最終的には専制主義となり、人々は支配者に服従するだけの奴隷状態に陥る。

このようにルソーは近代社会を私有に起因する腐敗の極みと見なしたが、だからといって社会生活を捨てて自然状態に回帰せよと言うわけではない。むしろ、ルソーはどのような社会ならば人間は奴隷状態に陥らずにすむのか、すなわち、自由を失わずにすむのかを示そうとした。このような政治体制の代案を示す理論が、彼の社会契約論である。

†自由・社会契約・一般意志

ルソーが社会契約において死守しようとしたのは人間の自由である。ルソーの自由概念は、スピノザと同様に自己決定の自由である。『社会契約論』第一編で、ルソーは自由を「自分自身だけに服従すること」として特徴づけている。また、ルソーにおいて自由は道徳の必要条件としても機能している(『社会契約論』第一編第四章)。自己保存や道徳性に必要不可欠なものとして、各人に自然に与えられているのが自由なのである。

このような自由を失わずに、自己とその所有物を保護する統治機関を設立する方法が社会契約である。だが、自分の権利を放棄して国家の命令に従うということは、自己決定の自由と両立できないのではないか。この難問は、各人が自分と自分の全権利を共同体に譲渡し、かつ、自分がその共同体の一員となることによって解決される。この社会契約は次のように定式化される。

私たちの誰もが自分の身体とあらゆる力を共同にして、一般意志の最高の指揮のもとにおく。そうして私たちは、政治体をなす限り、各構成員を全体の不可分の部分として受け入れる。

(『社会契約論』第一編第六章、二四二頁)

これは基本的にはスピノザと同じ発想である。各人が自分の全権利を譲渡して政治体としての共同体を構成するということは、その構成員すべてが一つの人格として主権者となることに他ならない。この公的人格としての共同体は、各構成員が持つ個別的利害とは無関係に公的な利益を目指す「一般意志」に基づいて法律を制定する(一般意志に対して、各構成員が個別に持つ意志は「特殊意志」と呼ばれる)。その法律に従うことは、共同体の構成員にとってみれば、自分の命令に自分が従う自己決定に他ならない。このようなルソーの提案については、一般意志が公的な利益を目指すことをどのように保証するのかという問題があるが——ルソーは立法者がこの問題をすべて解決すると主張したが、この主張に説得力がないことは多くの論者が指摘している――、それはさておき、ルソーはスピノザ的民主制を持ち出して自由と政治的権威の両立をかなえようとしたのである。

†キリスト教への態度と理性へのまなざし

以上、ロックとルソーの社会契約論を見てきた。彼らの理論はともに人民主権を唱えるものであり、市民革命の支えとして使用されたが、自由概念や擁護する政治体制などの違いを有していた。最後に、ロックとルソーがキリスト教に対してどのような態度をとっていたのかを確認し、それが理性偏重主義への反省とどのように関係していたのかを考察しよう。

まず、ロックから見てみよう。ロックの理論では、社会契約で設立される統治機関の目的は所有権の保全であった。この根底にあるのは所有権の保全を命じる自然法である。ところで、この自然法は神学に基礎づけられたものであった。ロックは一六六〇年代に書かれた『自然法に関する試論』第一試論において、自然法は「自然の光〔理性〕によって認識可能な神の意志の命令」であると明言している。ここから、ロックの社会契約論は神学的な自然法理論を拡張したものとして解釈できる。実際、ロックの政治哲学とキリスト教信仰が切り離せないものであったことは、多くのロック研究者が指摘している。ロックは『統治二論』第一部でフィルマーの王権神授説を否定したが、これもフィルマーの理論が神学として間違っている点を批判しているのであり、神学そのものを批判しているわけではない（加藤節『ジョン・ロック――神と人間との間』岩波新書、二〇一八年、八三〜八七頁）。なお、ロックの社会契約論が神学的前提に依存していたことは、理性の身分を貶めるものではまったくない。それは自然法の認識に理性が必要とされていたことからも明らかである。ロックの社会契約論は神学的要素と理性の働きの共作であり、理性偏重主義への反省とは無縁であった。

次に、ルソーを見てみよう。ルソーの社会契約論では、キリスト教は理論的道具立てとしての役割は果たしていない。むしろ、ルソーの社会契約論とキリスト教の関係は、政策としての宗教という次元で確認される。『社会契約論』第四編第八章で、ルソーは宗教が国家において果たし得る役割について論じている。ルソーによれば、国家は義務や法律や正義への愛を市民に育ませる機能を持つ宗教を「市民宗教」として採用する。この市民宗教は、市民全員に受け入れ可能なものでなければならず、①様々な宗教の信者が共通に認める教義で構成されている、②寛容なものであるという二つの性質を備えている。このような基準が設定された場合、キリスト教の信仰が許容されるのは、そのキリスト教の種類が市民宗教の教義を受け入れ、かつ、他の宗教に寛容なものである場合に限られることになる。このようなキリスト教への制限された態度は、次の点で理性偏重主義への反省と関係している。啓蒙主義の時代に生きたルソーは、理性を軽視してはいなかったが、その限界は認識していた。例えば、彼は『エミール』第四巻で、人間が善に向かい悪を避けるためには理性だけでは不十分であり、道徳感情の一種である良心が必要であることを主張している。このように理性偏重主義をとらずに感情に一定の評価を与えていたルソーにとって、政治哲学に宗教の場所が認められるのは、それが義務や法律や正義への愛という感情を涵養する場合であった。社会契約論における彼のキリスト教への態度も、そのような感情への評価に沿うものだったと言えよう。

ロックとルソーは広い目で見れば同じ啓蒙主義の系譜に属していたが、社会契約論においてキリスト教に対してとった態度には大きな違いがあった。また、彼らの間には理性へのまなざしにも違いがあり、その違いはキリスト教への態度に一部反映されていた。啓蒙主義の準備期に当たるロックと理性の限界が意識されていた啓蒙主義時代のルソーの間には、社会契約というロジックにおいても隔たりがあったのである。

＊本章では以下の邦訳を参照した（ただし、筆者の責任で訳を変更した個所もある）。引用に付した頁数は以下の邦訳のものである。ホッブズ『リヴァイアサン（一〜四）』（水田洋訳、岩波文庫、一九八二〜一九九二年）、スピノザ『神学・政治論（上・下）』（吉田量彦訳、光文社、二〇一四年）、スピノザ『エティカ』（『世界の名著 25 スピノザ ライプニッツ』所収、工藤喜作、斎藤博訳、中央公論社、一九六九年）、ロック『完訳 統治二論』（加藤節訳、岩波文庫、二〇一〇年）、ルソー『社会契約論』（『世界の名著 30

ルソー』所収、井上幸治訳、中央公論社、一九六六年）

さらに詳しく知るための参考文献

内井惣七『自由の法則　利害の論理』（ミネルヴァ書房、一九八八年）……ホッブズ、ロック、ルソー、カントの社会契約論が持つ構造と問題点が緻密かつ明快な仕方で論じられている。また、社会契約論が功利主義とどのように接続されるのかも考察されている。

D・バウチャー、P・ケリー編『社会契約論の系譜――ホッブズからロールズまで』（飯島昇藏、佐藤正志他訳、ナカニシヤ出版、一九九七年）……ホッブズから現代にいたるまでの社会契約論を取り上げ、社会契約論の展開や諸論点を検討した論文集。専門的な内容である。

加藤節『ジョン・ロック――神と人間との間』（岩波新書、二〇一八年）……社会契約論を含むロックの哲学と彼の宗教思想がどのような関係に立っているのかが分かりやすく説明されている。

桑瀬章二郎編『ルソーを学ぶ人のために』（世界思想社、二〇一〇年）……ルソー思想の全体像を詳しく紹介しており、彼の社会契約論を丁寧に解説した論文（吉岡知哉「政治制度と政治――『社会契約論』をめぐって」）も収録されている。

松永澄夫編『哲学の歴史6　知識・経験・啓蒙【18世紀】』（中央公論新社、二〇〇七年）……ロックとルソーの哲学が概説されており、彼らの思想の全体像を見るのに便利である。

コラム3　唯物論と観念論

戸田剛文

唯物論と観念論は、西洋哲学の非常に大きな問題として長く取り組まれてきた問題の一つであり、特に近代以降、ますますその重要性は高まっていった。唯物論とは、世界に存在するものは、すべて物質的なものであるという考え方であり、観念論とは、世界に存在するあらゆるものは、何らかの仕方で心的なものだという考え方だと言える。世界に存在するあらゆるものが心的なものだという考え方は、東洋、そして日本などにも見られるアニミズム的なものとして捉えることもできるかもしれないが、西洋哲学における観念論は、認識論的なものであり、世界は、すべてある主観、例えば私、あるいは神の心の中に存在するものだという主張である。

唯物論は、自然科学的世界観を基盤にして、そこに世界に存在するものを還元しようとする哲学者たちによって歓迎された。いわゆる哲学の自然主義の立場を取る哲学者には、唯物論的な世界観を採用する哲学者が多い。一方で、観念論は、たとえば近代の哲学者バークリ（一六八五〜一七五三）などがその代表者としてあげられるが、バークリの主張は、当時の科学的な世界観を基盤とする哲学に対する批判として生まれた。

唯物論は、科学的な世界観を基盤とするという点で魅力的な点も多いが、われわれの心の存在であったり、自由意志のような問題であったり、あるいは色などの主観的な現象にかかわるわれわれの日常的な信念体系と対立する部分も多く、この対立をどのようにして解消するかという多くの問題を哲学に提供してくれている。また一方で、バークリのような観念論は、現代においてはそのままの形では維持することは難しいだろうが、われわれの信念とは独立に世界が存在することに疑問を投げかける現代の多くの議論――例えば、世界の実在も一種の仮説であるとする立場や観察の理論負荷性などの議論――によって、形を変えて生き続けていると言えるかもしれない。

また両者のどちらか一方のみが正しいと考えなければならないわけではない。つまり、この構図自体に疑問を投げかけることもできる。例えばP・F・ストローソン（一九一九～二〇〇六）は、還元主義的な自然主義に対して、非還元主義的な自然主義を主張するが、それなどは、科学主義的な視点も主観的で心的な存在を認める日常的な視点も、われわれの本性（自然）に基づくものであり、どちらの視点にも正当性を認めようとする。プラグマティズムもこのような立場に近い。こういったことを考えると、既存の二分法をはじめから引き受けるのではなく、より複雑で豊かな世界のあり方を、今一度、根本的に考え直してみることが必要になるだろう。

第4章　啓蒙から革命へ

王寺賢太

1　はじめに――「世界哲学史」のなかの啓蒙と革命

†「大西洋革命」か、「政治的自律」か

一般に「啓蒙から革命へ」の過程として総括される一八世紀フランスの政治思想は、近代共和主義の先駆として、あるいは恐怖政治の源泉として、長く近代政治秩序の正統性を問う論争の対象とされてきた。一九・二〇世紀を通じて、フランス革命が旧体制打倒と新体制樹立を目指す後続の革命運動のモデルともされただけに、その論争はいっそう激しかった。

ソ連・東欧の社会主義圏が崩壊して久しい現在、資本主義のグローバル化に覆い尽くされた世界のなかで、一八世紀フランス政治思想はあらためて西欧近世から近代への転換を画す「大西洋革命」の一環として捉え直されている。西欧近世は一方で、宗教改革と宗教戦争を通じて、

ローマ・カトリック教会と神聖ローマ帝国の下でのキリスト教圏の宗教的・政治的統一に代わって主権国家分立体制が確立した時代であり、他方では新大陸発見以来、西欧列強がアメリカ大陸を中心に植民地帝国を設立し、アフリカ西岸との黒人奴隷貿易を含め、商業利害の追求に邁進していった時代でもあった。アメリカ合衆国独立からハイチ革命を経て南米諸国独立に至る「大西洋革命」の展望のなかにフランス革命を位置づけることは、それを西欧近世の第一次植民地帝国の終わりと近代主権国家・国民国家分立体制の世界的拡大の端緒として再考することでもある。

大西洋革命は、七年戦争（一七五六〜一七六三年）以来の世界規模の政治経済的変動の帰結であった。一六世紀以来の帝国の首座をめぐるハプスブルク家・フランス王家間の競合に代えて、英仏対立を国際関係の主軸に据えた「外交革命」によって口火を切られたこの戦争は、ただちにアジア・アフリカ・アメリカで商業・植民地利害を争う英仏間の衝突をもたらした。そこで圧倒的勝利を収めたイギリスは、次世紀以降の帝国主義の時代に向けて第一歩を踏み出すのだが、ただし戦争直後、英仏両国はいずれも長期にわたる世界規模の戦争継続のため、深刻な財政難に直面せざるをえなかった。両国でほぼ同時に経済自由主義が勃興したのも、植民地課税をめぐるイギリス国内の紛争が合衆国独立宣言に結びついたのも、さらにはフランスで「啓蒙から革命へ」と至る政治思想の諸潮流が現れたのも、この時期のことだ。

ただしこの大西洋革命の展望の下では、強調点は合衆国独立以来の代議制に基づく近代国民国家の簇生と国際システムの形成に置かれる。そこで世界はあらかじめ重商主義時代の国際通商ネットワークによって統一されている以上、「啓蒙から革命へ」のフランス政治思想はつまるところ、グローバル市場の上に割拠する国民国家分立体制を正当化するイデオロギーとみなされるのだ。「大西洋革命」を旗印とする現在流行のグローバル思想史の試みは、現在までのところ、「歴史の終わり」(F・フクヤマ)のあと、中国・ロシア・トルコなど非西欧諸大国の勃興に直面する、合衆国以下、旧西側諸国における資本主義とリベラル・デモクラシーの結婚の護教論にとどまっているように見える。

だとすれば、「世界哲学史」の枠内で「啓蒙から革命へ」のフランス政治思想を再考するには、むしろこの諸潮流に固有の理論的課題と、後代の国民国家体制のグローバル化を許したその普遍性に立ち戻らねばならない。啓蒙の時代の「哲学者たち(フィロゾーフ)」はそれぞれ独自の人間学から出発し、あるいはそこから離陸して、自身の属する政治共同体の働きやあるべき姿について考えた。彼らはまた、西欧史上、身分や官職によらずもっぱら自身の理論的言説によって政治にかかわり始めた最初の人々でもあった。その理論的言説に焦点を当てるなら、彼らの政治的課題は「自律」をいかに構想し、実現するか、という問いに集約されうるだろう。一つの政治共同体は、いかに自己自身に法を与え、自己自身を律することができるのか。一八世紀フランスの哲学者・革命家たちが共有したこの課題は、一八世紀末のケーニヒスベルクでカントが唱えた「啓蒙」の理念――「自分自身に責任のある未成年状態から出ること」――ともたしかに共鳴している。そしてこの政治的自律の実現は、時代的・地域的限定を超えて、大西洋革命後の世界に生きる私たちにとっても、いまだ過去のものとはなっていない難題であるはずだ。

以上の観点から、ここでは一八世紀中盤から革命期までのフランス政治思想の諸潮流を振返ってみたい。半世紀にも足らぬ短いスパンだが、この間、哲学者や革命家が当面した課題は、モンテスキューの専制批判から、七年戦争勃発後のルソー、ケネー、ディドロらによる新たな政治的正統性の模索を経て、コンドルセやロベスピエールが直面する共和政樹立まで、目まぐるしく変化する。それらすべてを政治的自律の問いに対する応答として読むとき、「啓蒙から革命へ」の移行は、逸脱と反転が折り重なる、きわめて逆説的な過程として現れるだろう。

2 モンテスキューの専制批判

†『法の精神』と「一般精神」の相関関係

フランス史上、「一八世紀」の始まりは通常、一七一五年のルイ一四世の長い治世の終わりに求められる。ルイ一四世は、内政や軍事の中央集権化と重商主義体制の確立によって、西欧の絶対君主政の絶頂期を象徴する君主だが、その治世はプロテスタント迫害、相次ぐ対外征服戦争とそれに伴う深刻な財政難など、多くの負の遺産をもたらした。一八世紀前半のフランス政治思想は、この太陽王の「専制」――一人者の恣意的統治――の批判をモティーフに展開する。それは、「主権」すなわち「君主権」が、国内外に対してもつ絶対的権力の批判を含意するものでもある。

「法とは、最広義において、事物の本性から派生する必然的関係である」――『法の精神』(一七四八年)冒頭のこの一節から、モンテスキュー(一六八九〜一七五五)は法を神や君主の命令として捉える西欧近世の法学・哲学上の通念を退け、むしろ神や君主さえ拘束する法則に焦点を合わせる。この法に従って自他に関係することこそ「統治」(政体・政府)にほかならないが、人間においてこの「統治」は特殊な自己関係の様相を呈する。全知全能の神や超人間的な知性をそなえた天使とも、本能にしたがう動物とも異なって、有限な知性の持ち主でしかない人間は、認識において誤り、行為において法を犯しうるので、自己自身に法を与え、自己を統治しなければならないからである。そのとき人間的統治は、神の創った自然秩序から逸脱して自律し、その自律的秩序からもたえず逸脱しながら秩序を作りかえてゆく、歴史性を孕んだ自己関係的過程として現れる。

この人間の法の固有性を見きわめるため、モンテスキューはさらに自然状態の仮説に訴える。社会成立以前の孤立した状態にある人間は自分の「弱さ」だけを感じ、他の人間を前にして「恐れ」を抱いて逃げ出すことはあれ、他の人間を攻撃することはない。自然状態を戦争状態とみなしたホッブズの仮説は、社会成立後の人間の状態を社会成立以前に投影しているにすぎないのだ。とはいえ、人間たちには反省能力がそなわっているので、彼らは互いに避けているのを見るうちにじきに相互に接近し、関係を取り結ぶだろう。さらに種の保存の必要や言語能力の助けを得て、社会が成立する。戦争状態から出発し、諸個人間の関係を秩序づけるために個々人から自然権を譲渡される超越的な主権者が必要であることを説いたホッブズに対し、モンテスキューはこうして相互的かつ水平的な社会関係から出発して、統治の働きを理解しようとするのだ。

社会状態で統治が必要となるのは、社会のなかで弱さの感覚を失った人間たちが、複数の社会のあいだでも、強者と弱者が生じる個々の社会のなかでも戦争を始めるからだ。そこから実定法（万民法・国制法・民法）の必要が生じる。モンテスキューが「法の精神」と呼ぶのは、この一連の実定法が、当の実定法を重層的に規定する諸条件と取り結ぶ諸関係の総体のことだった。その条件の筆頭には、君主政・共和政・専制という三つの「政体」の「本性」（権力組織の形態）と「原理」（各政体に固有のエートス）が挙げられる。そこで君主政の「名誉」や共和政の「徳」と並んで、「恐れ」が専制の原理とされるのは、この政体が自然状態に等しい剝き出しの状態で個々人を政治権力の行使に曝すことを意味している。さらに他の条件としては、各政体の自由の程度・風土・習俗・富・人口・宗教とともに、法律相互の関係や法体系の歴史的変遷も挙げられる。これらすべての条件と実定法の関係を解き明かすことで、モンテスキューは君主の恣意的権力行使をいかに制限しうるかを問おうとするのである。

この構想が政治的自律の課題と無縁ではないことを示すのが、『法の精神』の「一般精神」論である。今風に言えば各国民の「国民性」に相当するこの「一般精神」について、モンテスキューは「国民の精神が政治の諸原理に反していないとき、それに従うべきは立法者の方である」と言っている。国民が「われわれをあるがままに居させてほしい」と言うとき、それに逆らって立法することは許されない、と。いかにも慎み深く、否定的に作用するのみとはいえ、ここで一般精神が立法にあたっての究極の基準とされていることにかわりはない。注目すべきは、この一般精神を形成する諸条件が、ほぼ「法の精神」を構成する諸条件と重なり合っていることだ。「風土・宗教・法律・過去の事物の例・習俗・生活様式。これらのものから、その結果として一般精神が形成される」。実定法も一般精神もそれぞれにおいて結節する諸関係の総体に重層的に規定される。だとすれば、この両者の関係には、社会のなかに張り巡らされた諸関係が自己自身に折り返され、自己自身に法を与える、自律の特権的回路が見てとれるはずである。

この社会学的とも言えるモンテスキューの観点からすると、政治的自律は歴史的に形成されてきたフランス近世の君主政秩序——身分制社会や中間団体（教会・高等法院〔王国の裁判所〕）の存在、あるいは拡大しつつある富の生産・流通の空間——とは矛盾しない。実際、高名な「三権分立」のアイデアも、国家機構内の権力分立にとどまらず、国内諸身分の相互関係によって専制を回避することを志向していたのである。しかし、七年戦争後の政治経済的秩序の動揺のなかで、歴史を通じて君主政秩序と政治的自律を和解させるこの立場は、次々に異義申し立てに曝されてゆく。フランス王国が海外居留地・植民地の喪失と財政難のみならず、イエズス会の国外追放（一七六二〜一七六三年）や高等法院の強制改組（一七七〇〜一七七四年）など、国制上の動揺にも見舞われたこの時期、哲学者たちは一斉に、既成の秩序を超えた政治のあるべき姿の探究に向かったからだ。

3　新たな政治的正統性の模索

†ルソー——「人民主権」という撞着語法

『法の精神』の考察を歴史的に存在した諸政体の機能分析にとどまるものとみなし、一切の既成秩序とは別個に新たな政治的正統性をいちはやく模索し始めたのがルソー（一七一二～一七七八）だった。すでにルソーは『人間不平等起源論』（一七五五年）で、ホッブズもモンテスキューも、自分の政治理想を肯定するための論拠を自然状態に投影しているにすぎないと断定し、人間と自然が未分の「純粋自然状態」にまで遡って、そこに「完成可能性」以外にはいかなる固有の能力も持たぬ動物としての人間を見出していた。

しかも社会の成立は、この完成可能性の連続的発現ではなく、四季や地表の変化、冶金や農業の発見といった一連の偶然の出来事によって人間が「脱自然化」される、断続的飛躍の結果として理解されねばならない。農業の発展とともに土地占有が地表を覆い尽くした時点で戦争状態が生じ、戦争状態を乗り越えるために統治契約が結ばれるが、この契約は富者たちが自分の占有物を守るために貧者たちに提案し、締結されたものにすぎない。ルソーにとって所有権は自然権であるどころか人為的産物なのであり、統治が貧富の不平等を制度化し、永続化するものでしかない以上、この不平等の激化は最終的に専制へと逢着するほかないのである。

こうして『不平等起源論』とともに一切の既成の政治秩序に不信を投げかけたルソーが、正面から「正統な行政の基礎」について問うたのが『社会契約論』(一七六二年)だった。そこでルソーは、正統な法的秩序の根拠を求めて、構成員すべての意志に基づいて一つの「政治体」を構成する社会契約に遡る。歴史の不吉な因果連関を断ち切るため、社会をいったん諸個人のレベルまで解体し、その諸個人から政治体の構成そのものを再考するのだ。この社会契約によって、「われわれ各人は自分の人格と全能力を共同のものとして一般意志の最高の指揮下に置き、それとともにわれわれは集団で各構成員を全体の不可分な一部分として受けとる」。各人は自分の参画する政治体に自己の人格と全能力を「全面的譲渡」し、政治体の「一般意志」に従うのと引き替えに政治体の構成員となり、政治体から人格と諸権利を承認される。この一般意志の表明が法律であり、一般意志の主体が政治体の構成員総体としての「主権者人民」である。

ルソーがここでモンテスキュー的な「関係としての法」に代えてホッブズ的な「命令としての法」概念をふたたび採用し、「統治」に代えてあらためて「主権」の絶対性を要求することに注意しよう。ルソー的「統治」は、君主政にせよ共和政にせよ、主権者の命令(一般意志の表明としての法律)に従い、その個別的適用を担うだけの存在である。ただし、この主権は単なるホッブズの焼き直しでもない。それは人民に譲渡不可能なしかたで属すから、そして「人民主権」とは、人民が人民に命令を下し、各構成員が自ら人民の一部として下したその命令に率先して従うという「二重の関係」のなかに、主権者（君主）と臣下（人民）の支配−従属関係を解消し、主権を骨抜きにする撞着語法的概念だからである。一般意志が絶対的で不可謬なのも、この「二重の関係」内部でのことなのだ。事実、人民による主権の直接行使を説くルソーが念頭に置いていたのは、君主政を筆頭とする近世主権国家よりも、古代ギリシアから故郷ジュネーヴに至る都市共和国の伝統だった。

政治体の存在の根幹に諸個人の契約による政治体の構成そのものを置き、人民の人民への「命令」即「服従」に政治的正統性の根拠を見出すルソーの議論こそ、フランス啓蒙が提起したもっとも先鋭的な政治的自律の理念であった。そこで「全面的譲渡」の概念には、資本主義のグローバル化の端緒で、経済的流通に対する政治的自律の優位がいちはやく含意されている。しかし『社会契約論』は同時に、一連の原理的難題を提起する書物でもある。そもそも構成員の瞬間的な意志に基づく正統な政治体をいかに実現し、持続させうるのか。神の名において語り、一般意志の表明を助ける「立法者」や、習俗・意見の維持・形成に貢献する「公民宗教（市民宗教）」をめぐるルソーの議論は、その実現の困難を垣間見せてはいないか。もしこの困難が乗り越えられたとして、統治の主体は一般意志＝法律の一般性をいかにして正統なしかたで個別的に適用しうるのか。『社会契約論』は、来たるべき革命への衝動を与えると同時に、こうした一連の問いとともに政治的自律の実現の困難を考えさせる書物でもあったのである。

†ケネー——「合法的専制」という逆説

一方、ルソーとは逆に、自然権論に基づき正統な政治経済秩序の構想を素描したのが、ケネー(一六九四〜一七七四)である。彼の言う「フィジオクラシー(自然支配)」とは、個々人が享楽の最大化を図る権利として定義される「自然権」から出発し、各人が理性的にふるまい、自他の権利を同等に尊重するかぎりで、この自然権の拡張は「自然法」に則って富の生産を最大化する「自然的・明証的秩序」——自然に内在する「明証的」な理神論的秩序——に必然的に行き着くと主張する理論だった。

ケネーの考える自然権は、人格(自己)・動産・土地の三種の対象によって大別される所有権に帰着する。このうち土地所有からは不可避的に不平等が生ずるが、土地所有なしに唯一の富の源泉である農業の発展は望めない以上、この不平等は容認されねばならない(「自然権についての考察」)。国民を「土地所有者」・「生産者」(農民)・「不生産者」(商工業者)の三つの「階級」に区分し、農業生産をモデルに資本の再生産サイクルを解明する『経済表』(一七五九年)の分析は、この自然権論の延長線上に、君主政の身分秩序を富の生産・流通の観点から「合理的」に再編しようとするものだったのである。土地課税への一元化や経済自由主義の要求もそこから派生する。

ただしケネーにおいて、この自然権の擁護はまったく専制と矛盾しない。自然権の合理的展開こそが、君主を頂点に国民諸階級が構成する理想の政治経済秩序に至るのであれば、自然法に則ってこの秩序を実現・維持する君主の権力はけっして制限されてはならないからである。ここに、フィジオクラットの「合法的専制」(ルメルシエ・ド・ラ・リヴィエール)の理想が成立する。いかにも逆説的な理想だが、この逆説もまた、個人の自然権の合理的展開から導き出される経済の自生的・自律的秩序を無媒介に政治的階層秩序と合致させ、それによって政治的自律を実現しようとする理論的試みから派生するものではあった。

ケネーはさらにこの「合法的専制」の理想郷を中国に見出し、七年戦争後のフランス王国で政治経済体制の抜本的改革を提起する際の模範とした。宗教・法律・習俗・作法を統一し、皇帝の家父長的権威の下で万民を挙げて農業生産の増産に励むこの帝国を、モンテスキューは「公」(ポリス)と「私」(オイコス)の区別を知らぬ専制の権化として忌避したが、その専制こそが、ケネーにとっては儒教の自然法崇拝の下で一君万民体制を整え、科挙によって身分制によらぬメリトクラシーを実現し、農業生産の最大化を実現する理想的体制とされたのだった(「中国の専制」)。

†ディドロ——「文明化」とその限界

一七七〇年代のディドロ（一七一三〜一七八四）は、一連のロシア論や、西欧諸国の商業的・植民地主義的拡大の帰趨を論ずるレナル『両インド史』（一七七〇年初版、七四年第二版、八〇年第三版）への寄稿断章で、世界各地の政治状況に言論による様々な介入を行った。その出発点には、各政治共同体の諸条件に応じて専制を回避しようとするモンテスキュー的態度がある。実際ディドロはモンテスキューに立ち返りつつ、ケネーが理想化した中国の専制を、一切の「自由の萌芽」を圧殺するものとして鋭く批判していた（『両インド史』第三版）。

ディドロの様々な政治的提言は、ロック流の自然権論と軌を一にして自然的自由・民事的自由・政治的自由を区分し、対象に応じて各種の自由の擁護を主張したものとして理解できる。黒人奴隷制批判では自然的自由、重商主義批判では民事的自由、合衆国独立擁護では政治的自由を根拠に、被支配者の暴力的蜂起さえもが肯定されるのである。自然的自由は人格・自己の、民事的自由は財産の所有権に基づくとされる以上、ここでも正統な政治秩序の根拠は所有権の尊重にある。とはいえディドロは、自然権の合理的展開から調和的な政治経済秩序を演繹するケネー流の目的論を退け、民事の次元（経済的生産・流通および公論）と政治の次元（政府）を、前者で生じる不平等や紛争を、前者の委託を受けた後者が法の設立によって是正するといったしかたで分節する。ディドロはもはや身分制秩序にではなく、経済的生産・流通と公論の自律性に依拠して、統治者の権力の制限や統御、さらには奪取さえを考えるのである。ここには、ヘーゲル的な「市民社会」と「国家」の区分がいちはやくかたちをとりつつあると言うこともできるだろう。

ディドロはさらに「文明化」の名の下に、自然的自由・民事的自由・政治的自由を長期の歴史的過程を通じて段階的に実現する政治的プロジェクトを構想した。ロシアの農奴解放策やアジアでの植民地建設案のなかで提出されたこのプロジェクトは、西欧からの植民者に土地を分配し、彼らの農業生産を奨励して植民地の経済発展を促し、その自生的発展・拡大を通じてロシア農奴やアジア先住民を植民者と同様の経済的主体に転換することを目論むものだった。所有・労働・交換を担うこの経済的主体の構成こそが、数世紀をかけて、ロシアでは農奴身分から、アジアでは野生や野蛮の状態から、そして最終的には西欧植民地帝国への従属から「解放」をもたらし、現地人を自律的な政治共同体のなかで公論や議会を通じて政治的自由を行使しうる「市民」とする、と考えられたのだ。

この文明化のプロジェクトはそれ自体、中世末期以来、諸主権国家と国際通商のパラレルな発展が農奴解放と第三身分の地位向上をもたらし、身分制議会の成立に至った、西欧における文明化の歴史的好循環を人為的に反復させようとするものでもあった。資本主義と国民国家分立体制のグローバル化を図る、いかにも西欧中心主義的なプロジェクト……？　とはいえそれは、「ヨーロッパの拡大」の末に、所有権を知らぬ自足的な共同体の存立条件が地球上から消滅したという認識の上で選択されたものであり（『ブーガンヴィル航海記補遺』）、ディドロが合衆国独立に希望を託したのも、そこに農業を基盤とする経済的自立と政治的自由を共存させる古代的な小共和国連邦の回帰を見たからだったことを忘れてはならない。逆に、西欧の君主政下で諸個人が商業的利害の追求に邁進し、政治共同体としてのまとまりを失った諸国民にディドロが見ていたのは終わりの切迫だった。「国民は血の海のなかでしか再生しない」、「国民が頽廃したとき、それを立ち直らせるのは……長い革命の連続の仕事であるように思われる」（『両インド史』第三版）。そのディドロにとって歴史は、決して文明化＝解放に向けた進歩の過程ではありえなかった。

4　革命と政治的自律の実現の困難

†一八世紀末の政治的激動の渦中から

一七七六年以来、対英報復を狙って合衆国独立戦争（一七七六～一七八三年）に参戦したフランス王国は、財政をさらに悪化させた挙げ句、一七八九年の三部会招集をきっかけに革命の時代に突入する。王国財政再建は、封建的諸特権の廃止抜きにありえなかったから、ただちに国制の再審に結びついたのだ。「人間と市民の権利の宣言」から、立憲君主政、共和政樹立を経て、九三年の国王処刑と恐怖政治、翌年のテルミドールのクーデタまで、その後の革命期の政治的激動が、諸党派間の権力闘争や近隣諸国との革命戦争を伴いつつ加速度的に進行したのは周知の通りである。

フランス革命は当初から、普遍的人権によって政治的正統性を基礎づけ、国の基本法を成文憲法として確定しようとする、政治的であると同時に哲学的な射程をそなえていた。しかし、そこで啓蒙期の政治的自律の理想が内包していた困難や逆説は、国内外の動乱のなかでの王国の共和国への転換という当面の課題を前に強行突破され、予期せぬ暗転をもたらすことにもなる。

†コンドルセ――「代表制民主政」と「人類の無限の完成可能性」

コンドルセ(一七四三~一七九四)は元々ダランベール近傍の数学者・哲学者で、七年戦争後テュルゴの下で政治経済改革に取り組んだあと、ジロンド派の政治家となった。「啓蒙から革命へ」の連続性を象徴する人物である。彼は、この点ではケネーとも軌を一にして、革命以前から一貫して身分制秩序を批判の標的とし、個人の自然権の尊重から出発して主権国家内部の統一と均一化を追求していた。革命当初、主権(立法)と統治(行政)のルソー的区分に従って国民主権と君主政的統治を共存させる立憲君主政を奉じていたコンドルセは、ルイ一六世のヴァレンヌ逃亡後、共和政支持に転じる。しかしそこで追求されたのも、近世主権国家に代わる政治モデルというよりも、むしろ立法・行政の双方に代表制・合議制を導入して実現すべき主権国家の新たな体制だった。

実際、コンドルセは一七九三年発表の『フランス憲法草案』で、国内に一年以上居住する二一歳以上の男子への選挙権と、各県に設置される第一次議会、およびこの第一次議会の選挙によって選出される立法議会・執行評議会からなる「代表制民主政」を要求している——司法に関しては、陪審制の導入が柱だった。合衆国の連邦制を先行例として参照するこの構想では、第一次議会に上位の立法議会・執行評議会に対する様々な異義申し立ての権利が認められ、加えて憲法から個別の法律までを定期的に再検討し、改正することが予期されていた。そこには、頻発する民衆蜂起を制度的に繰り込み、流動化する政治情勢に即して持続的制度を打ち建てようとする意図が窺えよう。それ以上に重要なのは、ルソー的な「一般意志」の恣意性を警戒し、確率論も踏まえつつ「最大多数の集合的理性」に正統な法源を求めたコンドルセにとって(「政治権力の本性について」)、この「代表制民主政」が「集合的理性」の表明にとって最適な政治的自律の制度構想だったことだ。

だとすれば、この政治的構想は『人間精神進歩の歴史』に直接接続する。恐怖政治下の逃亡中に脱稿されたこの遺作で、コンドルセはルソーとは逆に、人間本性（五感・快苦の情・完成可能性）から出発し、人間的能力の連続的な展開を人類史的スパンで描き出す。そこでは、狩猟採集・牧畜・農業という三段階を経て、古代・中世・近世の西欧史を通覧し——その終局にはフランス革命が置かれる——、最終的に「人類の無限の完成可能性」に基づいて、未来に向けた人類の無限の進歩の展望が開かれるのだ。この進歩の原動力は真理の誤謬に対する戦いにあり、その戦いは自然科学から道徳・芸術までの諸学と、それに対応する技術・産業の発展を伴う。のみならず、コンドルセにおいて誤謬は無知に由来し、司祭や権力者の支配維持のために迷信や誤謬として永続化されるのだから、真理の蓄積・流布はそのまま支配者の権威を掘り崩し、隷属下の人間たちに自然権の普遍性を教え、彼らを解放する過程でもある。

こうして真理・富・権利の上での個体間の不平等を漸次是正してゆく人類史の過程こそ、コンドルセが無限の進歩を夢見た「文明化」であり、個別社会で私的利害と公的利害の調和を図り、この過程を加速することこそ、彼が望んだ「社会的技術」の責務にほかならない。いかにも観念論的でテクノクラティックな進歩史観ではある。とはいえそこには、産業資本主義の時代の到来に先駆けて、社会総体の自律的・自己関係的運動としての歴史の現代的概念が素描されていることもまたたしかだろう。

†ロベスピエール――「恐怖政治」の論理と「最高存在の祭典」

恐怖政治下の政治的敗北のなかで、コンドルセが政治的自律の思想を人類の無限の進歩に投影したのに対し、ロベスピエール(一七五八~一七九四)は恐怖政治そのものに政治的自律の理想の実現を見た――見ることを強いられた――革命家だった。「恐怖政治(テロル)」とは、九三年初のルイ一六世処刑以降、反革命の近隣諸国との戦争、対立諸党派との内戦・抗争、経済恐慌下の民衆の食糧難の三重苦に際して、国民公会のヘゲモニーを握った山岳派が、「救国委員会」の主導下に第一共和国憲法発効を停止したまま「革命的統治」を宣言し、即断即決の「革命裁判」によって政敵の大量粛清を行った事態を指す。ロベスピエールによるこの恐怖政治の正当化は、それが啓蒙の哲学の忠実な読者によって、自覚的に選択されたその反転だったことを明かしている。

一七九四年二月五日の演説「国民公会を導くべき政治道徳の諸原理」で、ロベスピエールはまず、モンテスキュー的な用語に従って共和国のとるべき政体の「本性」を民主政に求め、人民による主権の行使(立法)を国民公会(人民の代表)に委ねることは自明の前提とした上で、法の執行(行政)についても人民の代表に委ねることを正当化する。この点、コンドルセとロベスピエールに大差はなく、革命裁判を可能にした執行と司法の融合も、主権の不可分性に基づいて三権分立を排す第一共和政の原則に適っていた。

驚くべきは、次の民主政の「原理」についての考察である。「平和時における民衆政体の原動力が徳であるなら、革命時におけるそれは徳と同時に恐怖である。徳がなければ恐怖は不吉である。恐怖がなければ徳は無力である。恐怖とは迅速で厳格で断固たる正義＝司法にほかならない」。モンテスキューが共和国の原理とした「徳」（祖国と法への愛）に、ロベスピエールは「恐怖」を結びつけ、『法の精神』が専制の原理とした「恐れ」を非常時における民主政の政治的手段として反転させることで、革命裁判を正当化するのである。

たしかに『法の精神』では、「私」（オイコス）を「公」（ポリス）に埋没させるスパルタの民主政と、「公」（帝国総体、万民）を「私」（君主）に完全に従属させる中国の専制が、いずれも権力の直接的行使を特徴とするものとして忌避されていた。ロベスピエールが求める民主政と専制の一致は、「徳」の〈滅私奉公〉的エートスを介して公私を一致させ、「革命的統治」における権力の直接的行使を求めるものだったのである。しかしその権力行使が、代表制を介して主権と統治を短絡させ、行政権と司法権を融合させる国家機構のなかで行われるとき、その政治的自律の回路は、実権を掌握する「代表者」以外をすべて潜在的・顕在的な「敵」と化す、恐るべき政治空間を招来したのだった。

疑いもなく、ロベスピエールは共和国の危機的状況のなかで、政治的自律の理想の実現を誰よりも真摯に追求し、その困難に誰よりも直面した革命家であった。だからこそ彼は、ルソー『社会契約論』の公民宗教論を踏まえつつ、「最高存在の祭典」を提言することにもなった――あたかも、政治的自律の回路はそれのみでは自足することができず、その外部に超越的で宗教的な権威の支えを必要とするかのように。ただしその際にも、彼が希求していたのは、同じルソーが『ダランベール氏への手紙』で描いて見せた祝祭のイメージ、人民が人民自身に対して無媒介に現前する共和国のイメージを先取り的に実現することだったのだ(「宗教的・道徳的観念と共和政の諸原理の関係、および国民の祭典についての報告」)。けれどもルソー自身が語ったように、その祝祭は「無」の上演、「無」の代理表象を中心に組織されるべきものだった。代表を無化するその理想の政治的自律の回路からは、まずロベスピエール以下「救国委員会」のメンバーたち自身が真っ先に排除されねばならなかったのである。

5 おわりに

「啓蒙から革命へ」の時代、フランスの哲学者・革命家たちが描き出したそれぞれの政治的自律の理想は、十分に自覚的な逸脱と転倒の末に、モンテスキューの専制批判からロベスピエールの恐怖政治まで、大きな弧を描いて反転する。この産業資本主義と国民国家の勃興期のエピソードが、資本主義のグローバル化の地の上で代議制民主主義を奉ずる国民国家のなかに生きる私たちにとっても、いまだ完全に過去のものとなってはおらず、理論的・実践的な様々な問題を突きつけるものであることは明らかだろう。

一方で、政治的自律の理想と主権国家の結合が提起する一連の問題がある。権利主体としての諸個人が住まい、代表制と法律によってつながれる主権と統治の円環のなかで考えられるかぎり、政治的自律が不可避的に曝されざるをえない専制的逸脱の数々を、ルソーやロベスピエールの先例は理論的・実践的にはっきりと示している。また本稿では触れることができなかったが、政治的自律が主権国家内部で体制化された際に、必然的に他の主権国家との関係、国際間の戦争と平和が問題として浮上することも、一八世紀の哲学者たちがよく理解していたことだった。

他方で、同じ一八世紀フランスのエピソードは、専制的逸脱に諸個人の権利を対置し、政治権力の限定を図るリベラルな選択が、最終的に所有権の擁護に立脚し、所有権の「自由な」発展を許す資本主義社会の再生産過程の顕揚に帰着せざるを得ないこともまた教えてくれる。このリベラルな選択が、統治をその一部分として組み込む社会全体の自律的運動の擁護という体裁をとるとしても、それが「恐怖政治」にも劣らぬ独裁に反転しうることは、すでにフィジオクラシーの「合法的専制」の理想が示唆することでもあるだろう。

こうした様々な隘路をかいくぐりながら、なおあらためて政治的自律の理想を掲げることができるだろうか。できるとしたら、それはどのような政治共同体を舞台とし、どのような主体によって担われるべきものなのか。そもそも資本主義のグローバル化の席巻する世界のなかで、私たちは市場とは異なるどのような政治共同体を構想し、構成することができるのか。資本主義とリベラル・デモクラシーの結婚を寿ぐことが「世界哲学」の課題ではありえないとすれば、私たちは一九・二〇世紀の革命運動の退潮のあと、あらためてその問いを提起すべきかもしれない。「啓蒙から革命へ」のフランス政治思想は、その普遍性の要求と、自身の理想のリミットを指し示す勇気とによって、私たちにとってもいまだに多くの示唆と教訓を与えてくれる。

さらに詳しく知るための参考文献

G・W・F・ヘーゲル『精神現象学』(長谷川宏訳、作品社、一九九八年)……西欧政治史を下敷きに意識の経験の深化・拡大の過程を描き出す「D 精神」後半では、啓蒙主義から恐怖政治への弁証法的暗転が活写される。

カール・シュミット『独裁』(田中浩・原田武雄訳、未来社、一九九一年)……一八世紀フランス政治思想から二〇世紀のボリシェヴィキとナチスに至る、民主主義と独裁の不即不離な関係を説く。

アントニオ・ネグリ『構成的権力』(斉藤悦則・杉村昌昭訳、松籟社、一九九九年)……マキァヴェッリ以来、近世イギリス・アメリカ・フランスを経て二〇世紀ロシアに至る、「革命中心」の政治思想史。

富永茂樹編『啓蒙の運命』(名古屋大学出版会、二〇一一年)……「啓蒙から革命へ」のフランス政治思想史を最大の焦点としながら、現代に及ぶ「啓蒙」の知的遺産の諸相を検証する、京都大学人文科学研究所の共同研究成果論集。

コラム4 世界市民という思想

三谷尚澄

「私は世界市民だ――」古代ギリシアに生きたシノペのディオゲネスのこの言葉とともに、「世界市民の思想」は始まったと言われる。

歴史を振り返っておくなら、世界市民の思想には、伝統的に次のような批判が加えられてきた。「世界市民主義」の立場は、私たちが、個別の国家を超えた「唯一の正しい国家」の法に従うべきことを要求するが、すべての国家を包摂する普遍的で抽象的な「世界国家」など存在しない。「市民」であることが、特定の国家の成員であることを通じて実現される事態である以上、「世界市民」であることとは、みずからが帰属するべき国家を見失った根無し草であることを意味するにすぎないのではないか――。

こういった批判に対し、たとえば、現代の哲学者であるマーサ・ヌスバウムは、世界市民を擁護する文脈において、ストア派の哲学者たちに言及しつつ、次のように主張している。世界市民であるとは、自分・家族・地域・街・国……と順番に広がる一連の同心円のいちばん外側に、人類全体という円を認める態度のことであり、その態度自体が伝統的な共同体や国家に対するローカルな帰属と矛盾するわけではない、と（『愛国主義とコスモポリタニズム』）。

「どこに生まれたかという偶然」にかかわらず、「すべての人間が平等な道徳的考慮の対象とされるべきこと」を要求する世界市民の思想の果たすべき役割が、かつてないほどに高まっていることに疑いはないだろう。たとえば、「世界市民的見地における哲学」の代表者であるカントは、「地球の表面をみなが共同で所有している」ことを根拠として、「根源的には誰ひとりとして地上のある場所にいることについて、他人よりも多くの権利をもつものではない」こと、それゆえにすべての人間には地球上のどの国をも「訪問する権利」が認められるべきであることを主張していた。「自国ファースト」の原理が声高に叫ばれ、移民たちの自由な移動を国境の壁が阻む現状に、「異邦人に対する友好」の原則を説いたカントならどのような評価を下しただろうか（『永遠平和のために』）。

また、国境を越えた疫病や、時代を超えて受け継がれる気候変動の影響を受ける「未来の世界市民」たち、さらには地球外の惑星やコロニーに生きる「宇宙時代の市民」といった話題について考えるうえでも、「拡張された世界市民の思想」が有効な視座を与えてくれることに疑いはないように思われる。紀元前四世紀のギリシアに始まる世界市民の思想は、いまもなお現役の思想であるのみならず、はるか未来にまで受け継がれるべき思想的鉱脈を宿している。そう結論づけることも十分に可能であるように私には思われる。

第5章 啓蒙と宗教

山口雅広

1 ニュートンの自然神学

†啓蒙思想とニュートンの自然哲学

「啓蒙思想」は、英仏独を中心とする西欧一八世紀に興隆を迎えた思想運動である。啓蒙思想家たちを個別に見ていくと、思想上のかなり明確な相違もある。しかし概して言えば、人類の進歩を希望し、理性と経験に深い信頼を寄せることが、彼らに見られる非常に顕著な特徴である。

この特徴を端的に表す一例は、啓蒙思想の集大成と目される『百科全書』のある重要項目冒頭の以下の記述である。

折衷主義者とは、次のような哲学者のことである。すなわち、偏見、伝統、古さ、普遍的合意、権威、つまりひとくちに言って、多くの精神をおさえこんでいるあらゆるものを踏みにじることによって、自分自身で考えることや、もっとも明白な一般的原理に立ち帰ってそれを検討し、議論することや、また、自分の体験と理性の証言にもとづくもの以外は認めないことなどを敢行するもののことである。（大友浩訳『ディドロ著作集2』法政大学出版局）

ところで以上のような批判的精神を特色とする啓蒙思想を培い、その興隆に最も大きな寄与をしたのは、西欧一七世紀に大活躍し、「科学革命」を引き起こした自然哲学者たちである。その代表者はニュートン（一六四二〜一七二七）である。彼は自然現象を数学的に解明しようとする意図のもと、他の自然哲学者たちの研究成果も踏まえつつ、理性と実験・観測に基づき、古代・中世にはない全く新しい世界像の構築に資する幾つもの偉大な発見をした。

第一にニュートンは力学の分野において、地上の物体の運動だけでなく天体の運動も、慣性の法則を始めとする運動の三法則と、万有引力の法則によって統一的に理解可能であることを見事に証明した。それればかりではない。第二にニュートンは数学の分野において、以上の諸法則に従って計算するのに必要な微分積分法を、ライプニッツ（一六四六〜一七一六）と先取権を争ったとはいえ、彼とは独立に考案した。第三にニュートンは光学の分野において、太陽光

（白色光）が、実は赤色と菫色を両極端とする七色の光の混合であり、その多様な光はそれぞれに固有の屈折率を持つ、ということを実証した。

ニュートンの自然哲学は、以上のように文明を発展させる本物の知識と、この種の知識に到達させる鍵を明らかにした。こうしてその哲学は、啓蒙思想を主導するヴォルテール（一六九四〜一七七八）によって「一大傑作」（中川信訳『哲学書簡　哲学辞典』中公クラシックス）であると激賞され、彼を介して広くフランスの啓蒙思想家たちに、重大な知的衝撃を与えることになった。

†ニュートンと自然神学

しかし注意が必要であるのは、ニュートン個人の思索は、今日一般に思われているほど世俗的・非宗教的ではなかった。むしろ宗教的・神秘的であった、ということである。彼は私的には、古代・中世以来の錬金術とキリスト教の聖書の預言に強い関心を抱き、それぞれの研究に熱心に取り組んでいた。

なるほど錬金術師たちの諸著作は、象徴や比喩を用いて記述されており、その記述が何を意味するのかを正確に知るのは困難である。しかしニュートンによれば、卑金属を貴金属に変成する錬金作業はもちろん、鉱物が植物と同じように精気によって成長する過程のような、自然の他の秘密も伝えるものとして理解できた。同様に『ダニエル書』と『ヨハネの黙示録』を中心に見られる、表象や象徴を多用して記述される事柄は、そのままでは難解である。しかし彼によれば、もうすでに現実のものとなった歴史上の諸過程の他、今後成就することになる最後の審判のような未来の出来事を、あらかじめ伝えるものとして解釈できた。

以上のようにニュートンの思想には、啓蒙思想に通じる側面と、単純にはその側面に還元されない、宗教的・神秘的思想に通じる側面がある。そこで「啓蒙と宗教」を主題とする本章においては、その理解を多少とも深めるために、まずは以上のようにその両面にわたっている彼の思想に注目したい。具体的には、普通『プリンキピア』と呼ばれる『自然哲学の数学的諸原理』と、『光学』という彼の二冊の主著に含まれるいわゆる「自然神学」に光を当て、啓蒙思想の興隆を導くことになった彼の世界理解の内部に孕まれる、基本的な宗教的・神学的性格を見ることにする。

自然神学そのものは、古代ギリシアにまで遡られる伝統的な思想であり、その基本的発想は以下のようなものである。そもそも人間は、直接には神からの啓示によらず、みずからの自然的理性だけによって、神についての知を得ることができる。現に自然界へと目を向け、そのありさまを理性的に観察したり反省したりすれば、そこには人間の力によっては到底なしえない驚くべき秩序、つまり計画性を多様な次元において見出すことができる。天体の規則正しい運行と季節の周期的な変化は、古典的なその例である。人間は自然界におけるこの驚きの経験から出発して、世界の設計者を理性的に探究するとき、人知を超えたこの設計者つまり神の存在と、その属性や能力の理解へと導かれることになる。このうち神の存在理解へと導く推論は、「計画性による（または目的論的な）論証」と呼ばれる。

ところでニュートン自身もまた、以上のような発想に従って神の存在を肯定し、『プリンキピア』において以下のように言う。「この、太陽と惑星と彗星からなる壮麗きわまりない体系は、知性的で力の強い存在の計画と支配によって生ぜしめられたのでなければほかにありえようがありません」（河辺六男訳『世界の名著26 ニュートン』中央公論社。一部改変）。

もちろんニュートンが承認するこの聡明で強力な神は、古代・中世の自然神学にはない、力学の諸法則の制定者でもある。したがってニュートンの思想には、自然界に関する全く新しい知見を取り入れるとはいえ、それでも基本的には伝統的な自然神学と一致する側面があるのは確実である。

†理神論との近さと遠さ

ここで問題が起こる。以上のような自然神学は、「理神論」と呼ばれる一七世紀イギリスに出現したある思想的立場に対して、理論上の親和性を示す。ではいま前者の側面があることを確認したばかりのニュートンの思想には、彼と時代的にも地域的にも重なる後者の側面もある、ということになるのか。

理神論はさまざまな宗教的命題のうち、自然的理性が可能と認める範囲内の命題のみを真理とする。したがって理神論者たちによれば、キリスト教の教えのうち、三位一体のような、伝統的には自然的理性を超えており、啓示によってのみ知られうるとされる事柄は斥けられる。しかし世界の創造者として神が存在することは、この神が一である限り、合理的・自然的諸根拠に基づいて真理である。

ところでニュートンは神の存在を肯定する以上のような命題を、既述のように自然神学的発想に従って、理神論者たちとともに理性的に是認することができる。その上やはりニュートンは彼らとともに、その命題の諸根拠が取られてくる自然界を、当時、科学革命の進展に伴い主流の自然哲学となっていた「機械論哲学」に依拠して理解する。この哲学によれば、自然界にある物体はどれも、形や大きさのような諸性質を所有する無数の粒子からなり、その運動は数式として表現可能な自然法則によって支配される。つまり自然全体は極めて精巧な機構を備えそれに従って動く、一つの大掛かりな機械である。さらにニュートンは秘かにではあるが、理神論者たちと同様に三位一体の教えを信じなかった。したがって一見すると、ニュートンの思想は理神論に対して大きく傾斜するように見える。

しかしだからと言ってニュートンを無条件に理神論者と呼ぶわけにはいかない。第一に彼の思想には、理神論とは根本的に異なり、理性を超えるものをはっきりと肯定しそれに従うところがある。事実、既述のことを振り返るだけでも、彼はキリスト教の終末論を堅持し、最後の審判と死者の復活をゆるぎなく信じていた。

第二にニュートンは、機械論哲学によっては厳密には排除され、理神論によっては依拠されてもその度合いが少ない「目的因」も、自然の説明原理として認めようとする。ニュートンの見るところでは、機械式時計がゼンマイや数多くの歯車からどれほど複雑精緻に組み立てられ、規則的に動いているかが知られても、それだけではなぜこの時計が時を告げるのかは説明しつくされない。同様に自然現象には、機械論的諸原理によっては説明するのに十分でない側面がある。この側面を説明するには、目的因という非機械論的原理も必要となる。もちろん今の場合でも、神がその設定者として世界の最も奥深いところにおいて働いている。だからニュートンは『光学』において以下のように言う。

自然哲学の主要な任務は、仮説を捏造することなく現象から議論を開始し、ついで諸結果から諸原因を導き出し、ついには確かに機械的でない真の第一原因に到達するにある。そしてまた世界の機構を解明するのみならず、主として次のような疑問を解決するにある。(中略)「自然のすることに無駄がない」のは何によるか。この世界にみられるすべての秩序と美は何によって生じるか。彗星は何を目的として存在するのか。（中略）どうして動物の身体はこれほど技巧をこらして設計されるようになったのか。その諸部分のそれぞれの目的は何だったのか。（島尾永康訳、岩波文庫。一部改変）

ニュートンが先述のように錬金術を真剣に研究していたのも、以上のように天体の運動や動物の身体の機能を「何のために」との関連において説明する目的因以外の、自然を説明するのに必要となる非機械論的原理を求めてのことであった。

2 ニュートンとライプニッツ

†自然神学と啓蒙思想

以上においては啓蒙思想の父とも言うべき役割を果たしたニュートンを取り上げ、彼の自然神学的思想に注目してきた。ところでこの思想に改めて光を当てることには、広い意味で「啓蒙と宗教」という主題を再考するきっかけとして意義がある。

啓蒙思想は理性と経験に基づく。したがってこの立場からすると、キリスト教のような神からの啓示に依拠する宗教は、粉砕されるべき敵であるように見えるかもしれない。事実キリスト教とその母胎ユダヤ教は、ヴォルテールから激しい批判を向けられていた。

しかし啓蒙思想家たちがみな、宗教や信仰に対して非常に敵対的な態度を取り、その廃棄を強く志向したかと言えば、そうではない。啓蒙思想の出現は、むしろ理性と信仰の間に鋭い緊張関係があることを認識させ、両者を架橋する新しい哲学的探究の道を切り開くことにも繋がった。ニュートンの思想は、啓蒙思想的な側面と、簡単にはそう言えない側面を含み込むものとして、この探究の適切な出発点となる可能性を秘めている。

ニュートンのいわゆる自然神学を改めて論じる理由は、それだけではない。もう一つある。自然神学は一般には哲学史の記述において真正面から取り上げられることが少ない概念である。しかし実際にはこの神学は、啓蒙の時代を生きた代表的哲学者たちによって、相当な重みがある思想的課題として意識されていた。ここで言う哲学者たちとは、ライプニッツ、ヒューム、それにカントである。

哲学史の文脈においてこの三人の立場はそれぞれ、普通、順に合理論、経験論、それに超越論的観念論として整理される。この整理は近代哲学がその中心に、世界についての客観的・確実な知識はどのようにして得られるのか、という認識論上の問題を据えることを背景に行われる、妥当なものである。とはいえこの認識論的図式とは別の図式を使用して、彼らの哲学的立場の関係を浮き彫りにすることも可能である。そしてその方法として試みられる価値があるのが、彼らが自然神学に対して表明する知的態度を比較することである。

以下ではまずニュートンとライプニッツの間での神概念をめぐる理論的対立を確認する。その後、自然神学は、彼らにおいてだけでなく、ヒュームとカントにまで強い問題意識を生み出していたことを明確にしたい。

†ニュートンの主意主義的神理解

ニュートンとライプニッツが、微分積分法発見の先取権をめぐって関係を悪化させていたことはすでに触れた通りである。そこに英国皇太子妃が、ライプニッツから受け取った、ニュートンの自然神学的な神概念への批判を含む手紙を、ニュートンと親交のあったクラーク（一六七五〜一七二九）に見せたところ、クラークがニュートンの理論的代弁者となり、手紙を介してライプニッツに対して反論した（一七一五年）。こうしてクラークとライプニッツの間で手紙のやりとりが始まり、ライプニッツが死を迎えるまで、この神概念をめぐる論争が展開されることになった。

ニュートン側とライプニッツ側の間でのそこでの対立は、大づかみには神に関する「主意主義」と「主知主義」の対立として理解される。いっそう通俗的な言い方をすれば、「仕事日の神」と「安息日の神」の対比として表現される。ニュートン側は、何らかの見逃せない不調和が創造後の世界に生まれてくると、神はみずからの意志によって、その世界の体系をリフォーム(改良)できる、ということを強調する。ところがライプニッツ側からすれば、神的意志の介入を肯定する以上のような主張を容認することは到底できない。神は世界を創造するに際して、将来を見越して、そのような不調和が生まれてこないように十分な知的配慮をしていたはずだからである。両者間のこの理論的対立を、もう少し詳しく見ておこう。

ニュートンが以上のような「リフォーム説」を提示するのは『光学』においてである(以下同書からの引用は田中一郎訳『科学の名著6 ニュートン』朝日出版社による。一部改変したところもある)。彼はこの学説を提示するに当たり、物体の運動に見出される減衰の問題と、惑星の運動に見出される不規則性の問題を提起する。

まず物体に関して言えば、その運動は獲得されても減衰する傾向に常にあること、そしてその減衰の理由が流体の粘着性やその粒子の摩擦にあることが知られている。したがって物体が運動を維持するには、物体に内在する原因とは別の「能動的原理によって運動を保存し補充する必要がある」。

同様に惑星に関して言えば、その運動には増加傾向にある、わずかな不規則性があることが知られている。そしてその不規則性の理由は、彗星と惑星の相互作用に求められる。したがってやはり惑星体系が規則性を維持するには、「この体系は改良を必要とする」。ニュートンが以上のように物体にも惑星にも運動に関する問題があることを指摘した上で、最終的にその答えとして主張するのが、神による運動の保存・補充や、惑星体系の改良である。以下のように言う。

強力な、永遠に生きる能動者（中略）は至るところに存在し、われわれがわれわれの意志によってわれわれ自身の身体の諸部分を動かすよりももっとうまく彼の意志によって彼の広大無辺の一様な感覚器官の内部にある諸物体を動かし、そうすることによって宇宙の諸部分を形成し改良することができる。

ニュートンにとって宇宙は、あたかも神の感覚器官のようなものであり、その内部空間に諸物体を包み込むことによって、神と諸物体を結びつける。こうして世界に遍在するニュートンの神は、自然法則を制定したり目的を定めたりすることによって世界に関与する調和の設計者であるのはもちろん、それ以上に、世界の秩序を維持するべく世界に対して意志的に働きかけてくる、その具体的な調整者である。

†ライプニッツの主知主義的神理解

他方ライプニッツの神が主知主義的な神として理解されるのは、彼独特の形而上学のゆえである。事実彼が『モナドロジー』のような形而上学的著作において提示する、神による世界創造の説明は、その際に神の知性が果たす役割を重視するものであり、基本的には以下のようにまとめられる。

そもそも神は世界を創造するに先立ち、自身の知性のうちに、存在可能なあらゆる個々のものがさまざまに組み合わさって成り立つ無数の「可能的世界」を観念として所有する。ところでこの無数にある可能的世界のどれにも、現実に存在することを要求する権利がある。同時にこの権利の強さは、それぞれの可能的世界に内包される完全性の度合いに応じて決まる。そして神は、その無数にある可能的世界のうちのどれに、現実存在への要求権が最も強くあるのかを知れば、その可能的世界だけを最善の世界として選択し、「現実的世界」へと移すことになる。

以上のような「最善選択の原理（最善律）」が、ライプニッツの承認する、世界と神の関係を説明する形而上学的原理である。ライプニッツによれば、この最善世界における自然現象は、力学の諸法則によって機械論的に理解される。しかし目的因を使用して、目的論的に記述することも可能である。こうして彼は、機械論哲学と目的論を総合することによって、われわれが現に生きる世界のありようを明らかにしようと試みることになる。目的論の見地からの彼のこの総合の試みを示唆するものに、『形而上学叙説』の以下の一文がある。「神は常にもっとも善いもの、もっとも完全なものを目ざしているから、あらゆる現実存在の原理および自然法則の原理は、目的因にこそもとめなければならない」(清水富雄、飯塚勝久訳、中公クラシックス)。

ニュートンもまたすでに見たように、自然現象の機械論的説明に満足せず、そのさらなる説明原理として目的因を導入しようとした。したがって世界理解に関してニュートンとライプニッツの間には、少なくとも志向において一致するところがあることになる。

けれどもライプニッツの神が、ニュートンの言う強力な永遠の能動者に、大幅な制限を加えないと得られない、ある意味ではその対極に位置する神であることに疑いはない。

ライプニッツによれば、すでに触れたように、世界創造に先立って神の知性のうちには無数の可能的世界があり、それぞれに度合いが異なる完全性を備えている。ところでこの完全性の高さを比較する際の基準となるものは何かと言えば、それは可能的世界がそれぞれに持つ現象的な多様性と、その多様性を生じさせる方途の単純性である。そしてあらゆる可能的世界の中で最完全な可能的世界とは、現象において最大の多様な変化を示すと同時に、その最も豊かな変化が最も単純な方途によって生み出されてくる、そのような一種の経済性も考慮に入った秩序ある世界である。どの可能的世界の完全性が最高であるのかは、世界創造に先立ち、神の知性によってあらかじめ計算・比較され、決定されている。
したがって神が世界の創造に際して選択をする余地は、実は極端に少ない。なるほど神は世界が現実に存在することを選ぶことも選ばないこともできる。しかし神の選択が及ぶのは、まさにこの一点に限られる。もし神が世界の現実存在を実際に選ぶのであれば、世界は直ちに最善の世界として現出することになる。以上のような最善観こそ、『ライプニッツの第一の手紙』において、ライプニッツがニュートンの自然神学に含まれる「リフォーム説」を以下のように手厳しく批評する所以(ゆえん)である。

ニュートン氏とその一派は、神の作品についても、とても変わった見解を持っています。彼らによると、神は、時々、自分の時計を巻く必要があるのです。さもないと時計が止まってしまう、と。神は時計に永久運動をさせるだけの展望を持っていなかったことになってしまいます。彼らによると、神のこの機械は非常に不完全なので、時計師が自分の作品にするように、神は時々異常な協力で以てこの機械を手入れしたり、修理したりさえしなければならないというのです。自分の作った機械を修正したり直したりしなければならないことがしばしばであればあるほど、悪い職人でしょう。(米山優、佐々木能章訳『ライプニッツ著作集 第Ⅰ期

9』工作舎）

3 ヒュームとカント

†課題としての自然神学

ライプニッツとニュートンは、以上のように対照的な神概念を示す。とはいえライプニッツもある意味ではニュートンと自然神学的発想を共有し、計画性による論証を肯定していることが確認できる。すなわち、われわれが生きる自然界に極めて優れた秩序が見出されるのは、神という非常に卓越した設計者によってこの世界が造られたからである、と考える点において両者は変わらない。ただしニュートンの場合と比べて、ライプニッツの場合には、自然界の探究を通じて神に近づこうとする自然神学的なモチーフが弱まっている。その一方で、キリスト教から啓示を剝奪し、この宗教をただ自然的理性だけに基づけようとする理神論的なモチーフが強まっていることは指摘しなければならない。

ところで西欧一八世紀が進むにつれて、英独仏を中心に以上のようなモチーフの変化傾向はいっそう顕著になり、ついには伝統的な神の観念を保とうとしない機械論的唯物論の展開さえ認められるようになる。しかしすでに大天才ぶりが明らかであったニュートンとライプニッツによっても自然神学的思想が何らかの形で肯定されていたという事実は、彼らに続いて啓蒙の時代を生きた哲学者たちに、自然神学をあからさまに無視することも非難することも許さなかった。むしろ自然神学を、理論的妥当性が検討される必要のある課題として意識させることになった。ヒュームとカントは一八世紀を代表する啓蒙思想家たちであるが、彼らが自然神学に対して示した知的態度はまさにこのようなものであった。

ヒュームの哲学史上著名な仕事は、原因と結果の関係を詳細に検討することによって、因果関係が事象そのものに内在する客観的なものではなく、印象と習慣に由来する主観的な信念にほかならないことを解明したことである。因果性に関するこの批判的解明は、自然法則を客観的なものとするニュートン的な自然哲学の基礎を危うくした。それればかりではない。この解明は、自然法則の設定者という自然神学的な神概念を無効とする主張に繋がり、従来の神学的・形而上学的思弁に対して徹底的な打撃を与えることにもなった。

またカントは、ヒュームによる以上のような因果性批判が、ライプニッツを先駆者の一人とする従来の伝統的形而上学の基盤を危うくすることを衝撃をもって受け入れ、その批判に応える形でこの形而上学を吟味し、ついには反形而上学的な立場を表明することへと向かったことで有名である。この形而上学は魂・世界・神という諸概念を主題とし、この諸概念をさまざまに規定する。しかしカントによれば、自然神学的な仕方で証明されたとされる神の存在を含む、そこで主張される事柄を、もはや真実の知識とすることはできない。結局のところ、そこで主張される命題と相反する別の命題が、同等の根拠に基づいて成り立ってしまう。つまり「アンチノミー（二律背反）」が生じてしまう。

ヒュームとカントはそれぞれ、以上のような批判的議論を非常に精緻に行っている。しかし今その綿密な分析をすることはもちろんできない。ところで彼らのそれぞれの議論には、ある種の両義性あるいは不確かさが見え隠れする。最後にこの点を論じる。これにより、ニュートンの思想に認められるような自然神学は、今日一般に思われている以上に遠くにまで影を落としている可能性があることを指摘したい。ヒュームとカントは決して理性による宗教的迷妄の打破を高らかに謳い上げようとしたのではない。むしろ理性があらゆるものを不信という焰に投げ入れてしまうかもしれないという不安を抱きながら、自然神学を対象とする場合において も理性の力を行使し、その力が及ぶ限界を誠実に確かめようとしたのである。ヒュームから見ることにしよう。

†ヒュームによる自然神学批判

西欧一八世紀の啓蒙思想家たちはキリスト教を多様な角度から批判した。ヒューム自身が加えたその批判もまた同様に多角的である。

第一に『宗教の自然史』において彼が試みるのは、一神教による不寛容と迫害を、多神教の寛容と対比して見せることである。第二に『奇跡論』において彼が検討するのは、奇跡が起こったことを報告する証言の信憑性である。第三に『自然宗教をめぐる対話』において彼が主に吟味するのは、いま問おうとしている神の存在証明としての計画性による論証の妥当性である（以下同書を『対話』と略記する。同書からの引用は犬塚元訳、岩波文庫による）。では自然神学、すなわち書名に含まれる用語を用いれば「自然宗教」の、基本的なこの考え方に対して、彼はどのような問題を指摘するのか。

『対話』は文字通り対話形式の著作である。対話者は三人登場する。経験に依拠する計画性による論証を擁護するクレアンテス、経験に依拠しない、これとは別種の神の存在証明を擁護するデメア、この両者の主張を批判する懐疑論者フィロである。

『対話』においてデメアが主張する種類の神の存在証明が主題化される場面は少ない。その妥当性も低く評価される。

デメアによれば、「存在するものはすべて、その存在の原因や理由をもつはずであり、どんなものも、自らを生みだしたり、自らの存在の原因であったりすることは絶対に不可能」である。したがって原因と結果の系列を遡っていくと、外的原因によらずに「必然的に存在する存在者」、つまり神に行き着くはずである。しかし以上を骨子とするデメアの証明は、直ちにクレアンテスから以下のような反論を寄せられ、フィロによっても斥けられてしまう。「事実に関わることをなんらかのア・プリオリな〔すなわち経験に依拠しない〕論証によって証明しようという主張は、明白に不合理である」。

『対話』における議論の多くは、クレアンテスが主張する計画性による論証の検討に当てられる。フィロだけでなくデメアもその批判者となる。しかし今はフィロとクレアンテスの間の対話に注目して、幾つかの重要な論点を取り上げ、議論の進行を整理してみたい。

まずクレアンテスが経験に基づいて宇宙を一つの巨大な機械と見なし、人間が設計して生み出した機械との「類比（アナロジー）」から、機械としての宇宙の設計者すなわち神の存在と、人間知性との神の類似を証明する。しかしフィロはこの証明を批判する。彼によればその推論は、類比に基づく推論の原則を守らず、破っている。この種の推論が成り立つには、比べ合わされる事例同士が正確に類似することが大切である。ところがこの場合の事例は宇宙全体と、卑近な人工物としての機械であり、両者の違いはあまりにも大きすぎる。したがってその証明は無効である。

次にクレアンテスが反論する。彼は今度は、類比による推論の規則を前提としない「不規則な論証」によって、宇宙が神の計画に由来することを確証しようとする。フィロは「少しばかり困惑して混乱している」様子を見せるが、この主張そのものには再反論しない。

その後フィロは、異なる角度から改めて計画性による論証を批判する。彼はこの論証とは別の、しかしその論証と少なくとも同程度の蓋然性のある、宇宙の発生を説明する複数の代替案を提示する。つまりフィロによれば、クレアンテスの主張は、唯一の真実であると判断するに足る根拠を欠く。こうしてフィロは、「ここにおいてわたしたちに残された、理に適ったただ一つの方策は、判断の完全な停止です」と言って、勝利を宣言する。

『対話』における議論は、以上のように表面上はフィロの懐疑論的主張が圧倒的に優勢であるように見える。ところが『対話』は彼が一方的な勝利を収めて終わるわけではない。

第一に『対話』が終わりに近づくと、クレアンテスに譲歩するようなフィロの言葉が現れるようになる。事実フィロは最終的にはあたかも変心したかのように、弱い意味での計画性による論証を容認して、以下のように言う。「宇宙の秩序の原因（あるいは複数の原因）は、おそらくは、人間の知性となんらかのかたちで遠くで類比する」。

第二に『対話』が閉じられるに当たっては、三人の対話に立ち会い、この対話を記録した人物パンフィルスが以下のような判定を下す。「正直に告白すれば、全体を真剣に見直してみると、フィロの原理はデメアの原理よりも蓋然性が高いが、しかしクレアンテスの原理のほうがさらにずっと真理に近い――わたしはそう考えざるをえない」。つまり『対話』の最終的な結論は、誰の主張も絶対確実な真理には到達していない。しかし他の誰の主張よりもいっそう確実な真理であるのは、経験に依拠する自然神学的な主張である、というものである。

そしてもしパンフィルスのこの判定が、自然神学をめぐるヒュームの考えをストレートに表現するとすれば、計画性による論証に対する彼の評価は両義的であると言わざるをえない。ヒュームは懐疑論的議論の強力さを全面的に信頼しつつ、それでもなお弱い意味での計画性による論証を認める余地を残したのである。

†カントによる自然神学批判

カントに目を移すことにしよう。すでに触れたように、カントは因果性をめぐるヒュームの批判を契機として、彼自身もまた伝統的形而上学を批判的に吟味し、反形而上学的立場へと向かった。『純粋理性批判』は、まさにカントによるこの批判的検討そのものである（以下同書からの引用は石川文康訳、筑摩書房による）。実際、書名に見られる「純粋」と形容される理性は、一切の経験とは独立に、魂・世界・神のような形而上学的存在を認識しうるとされる能力を意味する。

けれどもカントは単に形而上学を否定しようとしていたわけではない。その再建を目指していた。彼は最終的には形而上学を、道徳的世界観として建て直すことになった。カントによる形而上学のこの再解釈を端的に言い表すのは、「私は、信じるということに余地を得るために、知るということを破棄しなければならなかった」という彼の言葉である。神は存在するか否かとか、魂は不死であるか否かとかいった形而上学的な問いに対する答えを、従来のように理論的な学問的知識として得る道は断念されなければならない。しかしそうすると代わりに、神の存在とか魂の不死とかいった形而上学的命題を、新たに道徳的信仰によって肯定する道が開かれてくる、とカントは考えている。

カントは以上のように、ヒューム的な懐疑論的立場に留まらず、形而上学の再建へと進む。とはいえ今ここで取り上げたいのは、彼が伝統的形而上学を批判する際に、自然神学的な仕方での神の存在証明を吟味することである。この種類の神の存在証明に対する彼の議論は、ヒューム以上に一貫して批判的であるように見える。しかし実際にそうであるとしても問題になるのは、彼のその議論の内実は、果たしてこの証明の急所を突いているのか、ということである。最後にこの点を見ることにしよう。

さてカントは従来の神の存在証明を整理して三種類しかないとした上で、それぞれを批判し、そのどれもが成立しえないことを順次あきらかにしていく。

カントが第一に検討するのは「存在論的証明」である。哲学史上この種類の神の存在証明の明確化にはデカルト（一五九六〜一六五〇）が大きく貢献した。彼によれば、「神の観念が示す

「最高に完全な存在者」という神の本性には常に「存在する」ということが不可分に属しており、したがって神は存在する」（小林道夫『デカルト入門』ちくま新書）。カントが存在論的証明を説明して以下のように言う所以である。「あらゆる経験を度外視して、〔もっとも実在的な存在者という神の〕単なる概念からまったくアプリオリに最高の原因の現実存在を推理する」。

しかしカントの見るところでは存在論的証明は無効である。ここには決定的な問題がある。事実、何かあるものの概念と、そのあるものの現実存在は全く別である。例えば三角形の概念には、内角の和は二直角に等しいということが不可分離的に結びつく。とはいえ三角形の以上のように規定される概念は、三角形が現実に存在するということとは別である。したがって神の概念からは神の現実存在を引き出せない。

カントが第二に吟味するのは「宇宙論的証明」である。この種類の神の存在証明は、存在論的証明と違い、何かが偶然的に実在するという不特定の経験的事実から出発して、原因と結果の系列を遡り、「絶対的に必然的な存在者」が実在することを推理する。ところでさらに推理を重ねると、この必然的存在者として考えられうるのは、「もっとも実在的な存在者」つまり神である。したがって神は実在する。

しかしカントによれば以上のような宇宙論的証明も成り立たない。実際、仮に前半の推理を認めるとしても、後半の推理の展開は、存在論的証明と同じように、概念と実在を不当に混同している。

カントが以上のような二種類の証明に関する議論を前提しつつ最後に批判するのが、「自然神学的証明」である。この第三の証明はこれまでに見てきた計画性による論証に当たる。他の二種類の証明とは異なり、現前する世界の中に多様性と秩序、それにものがそれぞれに目的に適ったあり方をしているという合目的性が見出されるというような、特定の経験的事実から出発し、「一つの崇高で賢明な原因」つまり神の実在を推理する。

しかし以上のような自然神学的証明もまたカントによれば不可能である。自然神学的証明が神の存在を証明しようとすれば、宇宙論的証明によって補われる必要がある。しかし宇宙論的証明はそもそも、存在論的証明の抱える根本的な問題を共有するものであった。

なぜ自然神学的証明は宇宙論的証明を必要とするとカントは見るのか。それは自然神学的証明から推理されうるのが、せいぜい「世界建築士」であって、「世界創造者」ではないからである。自然神学的証明は、世界の素材となるものを目的に従って使用し、世界を一定の形式のあるものに整える、建築士の存在を証明するかもしれない。しかし以上のような素材をも造り出す創造者の存在を証明することはない。この存在を証明するには、自然神学的証明を手放し、宇宙論的証明のように、世界の形式ばかりか素材をも偶然的な実在であると見て、そこからこの原因としての神の存在を推理するほかはない。

自然神学的証明に対するカントの批判は以上のようなものであり、それ自体としては筋が通っている。しかしそれでもなお問題として残るのは、その批判が必ずしも的を射ているようには見えないことである。というのは計画性による論証が目指すのが、そもそもカントが問題視するような、建築士以上の創造者としての神の存在であるということは、それほど明らかなことではないからである。

計画性による論証は、あくまでも世界の中に驚異的な秩序が見出されることから出発する、経験に依拠する種類の神の存在証明である。ここでは自然界の存在が根本的な前提条件となっている。世界が素材も何もないところから、つまり無から創造されていることの可能性が、積極的に打ち立てられようとしているわけではない。

もし経験可能な自然界の存在を大前提としながら、無からの創造に見られるような神の超自然的な働きを肯定しようとすれば、その場合には、自然に内在的な秩序から逸脱する奇跡のような超自然的現象を持ち出すことになるだろう。しかし計画性による論証はもともと奇跡に見られるような秩序の侵害を拒否する議論である。無からの創造はもちろん、秩序の侵害も意志することのできる、超自然的な力の持ち主へと向かおうとする議論ではない。

計画性による論証が証明しようと目指すのは、絶対的な意味における創造者としての神ではなく、世界の卓越した設計者としての神である。眼前にどこまでも広がる巨大な世界と、家や機械のような卑近な人工物の間に類比を認め、設計者としての神がいると信じることは決して不合理ではない、ということを示そうとしている。ヒュームが最終的には容認しようとしたクレアンテスの主張にはもちろん、カントが厳しく批判した自然神学的証明にも、このような考えは含まれる。したがって、カントによる自然神学的証明に対する批判は、それ自体として堅固な論理によって構成されているとはいえ、この種類の証明が存在を推理しようとする神の性格を、必ずしも正確には捉え切れないままに問題視している可能性がある。そしてもし実際にそうであるとすると、彼のその批判は完全に決定的ではないと考えられるのである。

さらに詳しく知るための参考文献

芦名定道『自然神学再考――近代世界とキリスト教』（晃洋書房、二〇〇七年）……ニュートンの自然哲学および自然神学については、第2部第3章「近代キリスト教世界とニュートン――ニュートン神学とその影響」におけるその歴史的研究が参考になる。

伊藤邦武『偶然の宇宙』（岩波書店、二〇〇二年）……ヒューム『自然宗教をめぐる対話』については、第I部第3章「宇宙の調和と神によるデザイン」におけるその詳細な分析が参考になる。

酒井潔、佐々木能章編『ライプニッツを学ぶ人のために』（世界思想社、二〇〇九年）／酒井潔、佐々木能章、長綱啓典編『ライプニッツ読本』（法政大学出版局、二〇一二年）……ライプニッツの形而上学については、前著第I部第4章の酒井潔「存在と理由のはざまで」を、また彼とニュートンの思想上の関係については、後著第II部の松山壽一「ニュートンとライプニッツ」をそれぞれ参照されたい。

野田又夫『西洋近世の思想家たち』(岩波書店、一九七四年)……『純粋理性批判』を含むカント哲学全体の歴史的解釈については、第Ⅰ部4「カントの生涯と思想」を参照されたい。

第6章

植民地独立思想

西川秀和

1　一八世紀アメリカにおける啓蒙主義の受容

†先進的な独立宣言は後進地域で生まれた

我々は以下の真実を自明のものだと信じる。すなわち、すべての人間は生まれながらにして平等であり、その創造主によって、生命、自由、および幸福の追求を含む不可譲の権利を与えられている。こうした権利を確保するために、人々の間で政府が樹立され、その正当な権力は統治される者たちの同意に由来する。

これはアメリカ独立宣言で最も有名な文言である。そして、植民地独立思想を最も端的に示す文言である。起草者のトーマス・ジェファーソン（一七四三～一八二六）はどのような思いでこの文言を書いたのか。ジェファーソン自身の説明によれば、独立宣言は独立を正当化するだけではなく、当時のアメリカ人の「共通認識（コモン・センス）」を示すために書かれたという。

なお独立宣言の起草にはジェファーソンのほかに四人が関わっている。その四人の中にはベンジャミン・フランクリン（一七〇六〜一七九〇）も含まれる。ただフランクリンはジェファーソンの手による草稿に少し手を加えただけである。

この文言で最も注目すべき点は「すべての人間」という言葉である。単にアメリカ人という一つの地域の住民だけではなく全人類を対象とした普遍的な原理として自然権と人民主権が提示されている。それはジェファーソンによれば「アメリカ人の精神の表明」をアリストテレスやキケロ、ロック、アルジャーノン・シドニー（一六二二〜一六八三）といった人物の思想で味付けしたものであった。

普遍的な原理が示されたことによって、アメリカの独立運動は単なる本国対植民地の争いではなく、人間の権利を求める闘争へと昇華した。それは同時に啓蒙主義の理念を実践に移す戦いでもあった。もし独立宣言が単に独立という政治目的を主張するだけの文書であったなら世界的な重要文書たり得なかっただろう。本来であれば単に独立を正当化する論理を示せばこと足りるはずの文書に自然権と人民主権という普遍的な原理が盛り込まれたという点に着目しなければならない。

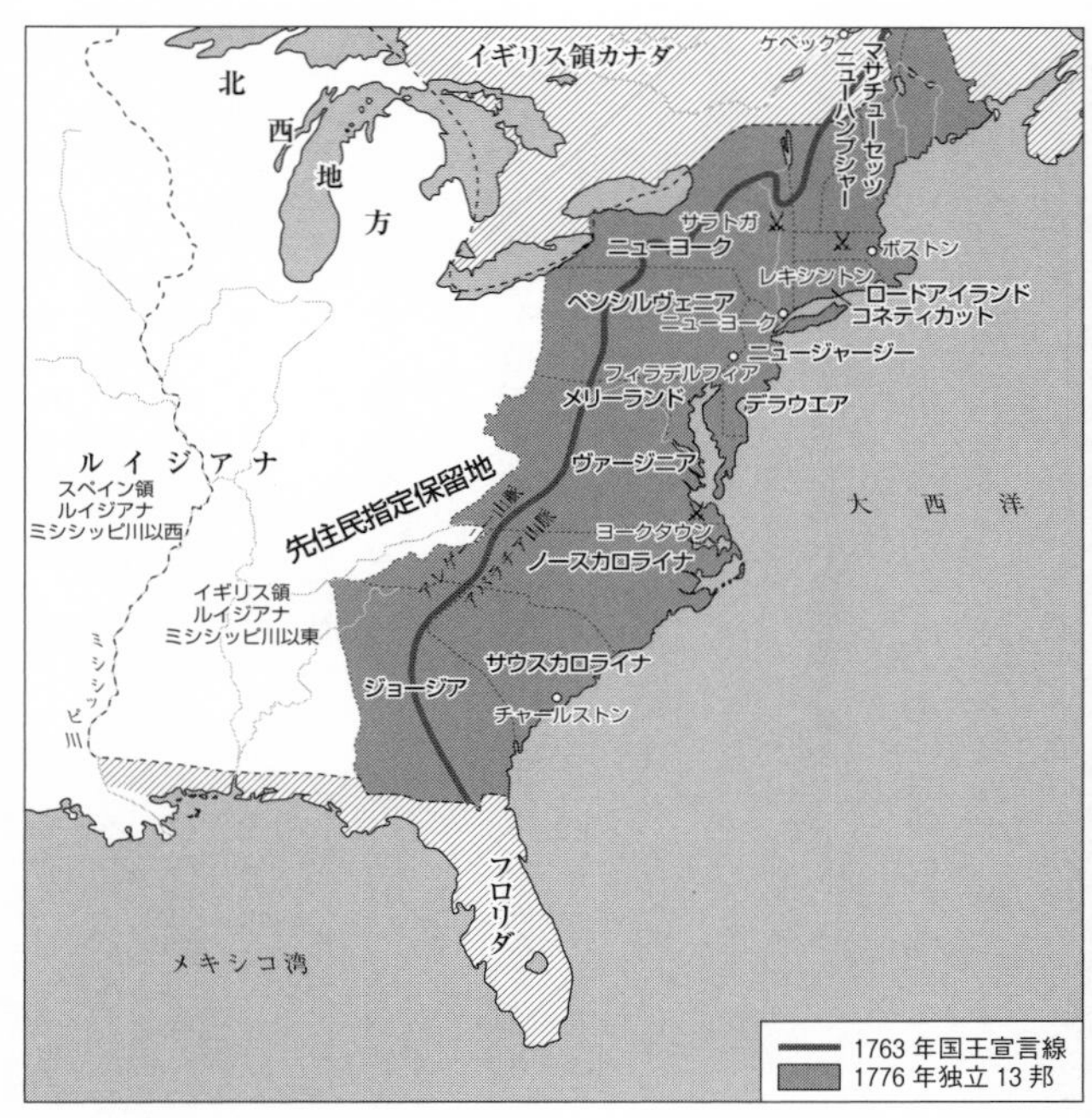

アメリカ独立時（1776 年前後）

ただそうした普遍的な原理を提唱しようという挑戦を古代から現代に至るまでの世界哲学史という大きな潮流から見るとどうか。「普遍的な」という言葉はあくまで欧米を中心にした観点ではないかという批判が当然ある。ただ独立宣言の根底には、そうした批判をまったく意に介さず、人間であれば誰でも共通の理念を理解し得るという楽観主義がある。

　そうした楽観主義があったにせよ、普遍的な原理がアメリカで提唱されたことは驚くべきことであった。一八世紀においてアメリカは、ヨーロッパから見ると僻遠の地であった。本国イギリスからアメリカに渡るには大西洋を越えなければならないが、最短でも二週間を要した。イギリス本国の人々の中には、アメリカの住民が自分たちと同じ言語を話すと聞いて驚く者もいたという。

事実、アメリカはヨーロッパに比べれば文化的に遅れた後進地域であった。フランクリンとジェファーソンが登場するまで、アメリカには国際的な知名度を得た著述家はほとんどいなかった。

そのような後進地域で先進的な文書が発表されたことは興味深い現象である。ただアメリカ人自身は後進性を認めながらも、自分たちがヨーロッパの旧弊から解放された特別な存在だと信じていた。すなわち、アメリカ人は自分たちを特別な存在だと見なしながらも普遍的な原理を提唱した。

†アメリカの知識人たちとヨーロッパの啓蒙主義

一八世紀アメリカの知識人たちは、主に海外から輸入される書籍を通じてヨーロッパの啓蒙主義を学んでいた。彼らにとって啓蒙主義とは、過去よりも現在、現在よりも未来が良くなるという信念であった。それは彼らが生きている時代を大きな歴史の流れに位置づけるという強烈な自我意識の発露であった。また啓蒙主義とは、キリスト教の厳格な教義から解放されて理性で自然や人間について理解しようとする知的態度であった。

ただ啓蒙主義と一口に言ってもその発展は国や地域によって異なっていた。一八世紀アメリカの知識人たちは、書籍を通じて主にイギリスの啓蒙主義とフランスの啓蒙主義から影響を受けた。

まずイギリスの啓蒙主義は、一八世紀アメリカの知識人にとって均衡と秩序を重視する穏健な啓蒙主義であった。独立運動が激化する前、ジェファーソンとフランクリンはイギリスの政治制度に一定の評価を与えていた。彼らの観点によれば、イギリスの政治制度は臣民の自由を保障できるように国内の諸階層がうまく均衡を保てるように設計されていた。

その一方、フランスでは、絶対王権と教会の厳格な教理が社会改革を妨げているという不信感が強まっていた。ただフランスの知識人たちは、フランス人民一般を啓蒙することは難しいと考えていた。そうした知識人たちの中には、無神論や極端な唯物論に傾倒する者もいた。

ジェファーソンとフランクリンは、イギリスの啓蒙主義とフランスの啓蒙主義の両方から影響を受けていた。たとえばジェファーソンは、ベイコン、ニュートン、ロックを啓蒙主義の「三人の最も偉大な人物の三位一体」として挙げている。ジェファーソンによれば、三人は自然科学と道徳哲学の基礎を作ったという。またモンテスキューやヴォルテールの著作にも慣れ親しんでいたことが記録からわかる。

ただフランクリンとジェファーソンはヨーロッパの啓蒙主義を一方的に受け入れたわけではない。ヨーロッパの啓蒙主義を受け入れたうえで彼らなりの独自の解釈を付け加えて新たな息吹を吹き込んだ。すなわち、主にイギリスの啓蒙主義とフランスの啓蒙主義が彼らの精神の中で融合されてアメリカ独自の啓蒙主義が形成されたと言える。それだけにとどまらず、アメリカで花開いた啓蒙主義はヨーロッパに逆輸入され、啓蒙主義全体に新たな可能性を開いた。

すなわち、ここで言う「植民地独立思想」は、単に独立を正当化する政治理論だけを対象とするのではない。もっと広い思想的潮流のことである。独立宣言で示された普遍的な原理がどのような思想的潮流の中で生まれ、フランス革命に影響を与えたのかフランクリンとジェファーソンの思想を軸に解明する。

2　フランクリンの実用主義

†一三の徳目

アメリカ建国期に活躍した人々のことを建国の父祖たちと呼ぶ。建国の父祖たちの話になると必ずと言ってよいほど登場するのがフランクリンである。ただフランクリンは非常に高名でありながらも他の著名な建国の父祖たちと比べると、はっきりと一言でまとめられるような業績がない。

それにもかかわらずフランクリンはなぜ重要な人物なのか。それはフランクリンの生き方そのものにある。『フランクリン自伝』には、貧しい職工の家に生まれたフランクリンがどのようにして自ら修練に努めて富を築いたのか半生が描かれている。そうした半生を見ると、啓蒙主義がフランクリンの行動に強い影響を与えていることがわかる。

『フランクリン自伝』の中で最もよく知られているのが「一三の徳目」である。すなわち「節制」「沈黙」「規律」「決断」「節約」「勤勉」「誠実」「正義」「中庸」「清潔」「平静」「純潔」「謙譲」である。

フランクリンはこうした徳目にそれぞれ戒律を付け加えた。たとえば節制であれば、「飽くほど食うなかれ。酔うまで飲むなかれ」という戒律である。戒律は具体的に行動の指針を示したものである。

フランクリンは徳目を唱えるだけにとどまらず、それを実際に身につける方法を考案している。まずそれぞれの徳目を守れたかどうか確認するための表を作成する。もし酒を飲んで酔ってしまえば、節制の徳目を破ったことになる。そうした場合、表に印をつけて徳目を守れなかった証とする。さらに一週ごとに特に注意して守るべき徳目を決める。このように徳目を守ることを習慣化して毎日続ければ、いずれ何も印がつかない日が来る。そうなれば一三の徳目が身についたことになる（フランクリン、一三六～一五一頁参照）。

フランクリンからすれば、いくらすばらしい徳目を唱えてもそれが実践されなければ無意味であった。徳目を身につける実践こそがフランクリンにとって意義があることであった。すなわち、理性は実践をともなわなければならないという信念があった。そうした信念は、自然権と人民主権という普遍的な原理を現実のものにしようとした独立運動でも表れている。

†社会改革

フランクリンの活動は個人的な活動にとどまらない。社会改革も実践している。まずフランクリンはクラブを創設した。クラブは倫理や政治、自然科学について会員で定期的に話し合う組織である。その目的は議論という実践を通じて真理を追求することであった（フランクリン、九八～一一五頁参照）。

このクラブでの活動がもとになってフィラデルフィア図書館協会が設立された。五〇人がそれぞれ四〇シリングを最初に出資して、以後、一年に一〇シリングを支払うという仕組みで蔵書を充実させる仕組みである。図書員の自宅の一室から始まった小さな図書館は順調に拡大した。フランクリンは次のように図書館の意義を語っている。

図書館はアメリカ人の会話全般を改善し、普通の商人や農夫を他国の紳士たちと同じくらい知的にし、おそらく全植民地の権利を守るために役立つだろう。

当時のアメリカでは珍しいことだが、図書館の会員の中には女性も含まれていた。また先述のクラブの会員の顔触れも実に幅広かった。測量士、元靴職人、指物師、商人などさまざまな職業の会員がいた。学ぶ機会さえあれば誰もが十分な知識を得られるというフランクリンの考え方が色濃く反映されている。

クラブや図書館に加えてフランクリンは消防組合も始めている。最初、フランクリンは火災がなぜ起こるのか原因と予防策を考案する論文を書いた。それがもとになって予防策を実行に移すための組合が設けられた（フランクリン、一六七～一六八頁参照）。

またフランクリンは数多くの発明で知られている。最も有名な事例は、暖房効率が良く燃料を節約できるストーブの発明である。専売特許を授与するという申し出があったものの、フランクリンは断った。発明を独占するよりも社会に広めたほうが公共の利益になると考えたからである（フランクリン、一八七～一八八頁参照）。

このような社会改革の根底には、実用性と改善を重んじる精神がある。事実、フランクリンが最も好んだ言葉の一つは「実用的」という言葉であった。フランクリンにとって理性とはただ物事を理解するために使われるものではなく、人間の状況を改善するために実用的に使われるべきものであった。そうした知的態度こそフランクリンにとって啓蒙であった。

†ヴォルテールとフランクリンの抱擁

独立宣言が発表された後、フランクリンは諸外国を味方につける外交交渉を進めるために渡仏した。フランクリンに白羽の矢が立ったのは、フランクリンこそ啓蒙主義の理念を実践に移す戦いである独立運動を代表する人物だったからだ。それを象徴する出来事がパリにある王立科学アカデミーで起きた。

二人の哲学者はどちらとも何が求められ望まれているのかわからない様子だった。ただ彼らは互いの手を取った。「あなた方はフランス風に抱き合わないといけませんよ」という声が上がるまで騒ぎは続いた。哲学と喧騒という大きな舞台の上でこの二人の年老いた俳優は腕で抱きしめ合って、互いの頰にキスした。こうしてようやく喧騒が静まった。きっと王国全体に、そしてヨーロッパ全体に叫びがすぐに広まっただろう。「ソロンとソフォクレスが抱き合うのを見られるとはなんとすばらしいことか」と。

「二人の哲学者」とはヴォルテールとフランクリンのことである。この出来事は、啓蒙主義にとって記念すべき日となった。この記念すべき日にはどのような意義があるのか。少し時間を遡って見てみよう。

自助努力で財を成したフランクリンは、早々に事業から手を引いて残りの人生を公務と学術に捧げることにした。フランクリンにとって公職に就くことは、社会に貢献するための最善の方法であった。また学術の追究は人類にとって有用なものを生むことであった。

フランクリンの名を世界に知らしめたのが雷を電気と証明した実験である。独自に研究を開始したフランクリンは、電気を何とか有用な目的に利用できないかと試行錯誤した。その過程でフランクリンは電気に関する基本的な原理を発見するだけではなく、嵐の中で凧を飛ばして実験することによって雷が電気的現象であることを証明した。その結果、避雷針が発明された。

フランクリンの発見と発明はまたたく間に称賛の嵐を呼び起こした。カントは、天から火を盗んで人類に与えたプロメテウスになぞらえてフランクリンを「現代のプロメテウス」と呼んだ。各大学はほとんど正規の勉学を修めたことがないフランクリンに競って名誉学位を与えた。イギリス王立協会はフランクリンを会員に招き入れた（ウッド、七七〜八八頁参照）。

フランクリンの発明と発見は、理性が普遍的であることを示す画期的な出来事であった。すなわち、アメリカという辺境の地で生まれ育ったフランクリンが雷が神の怒りだというキリスト教的な固定観念にとらわれず、自ら実験を通して雷が電気であることを証明したのである。誰もが理性を持ち得ることを体現する存在にフランクリンはなった。人類全体に啓蒙主義が波及する可能性を示した。

フランクリンの登場は、ヨーロッパの啓蒙主義からすればまさに福音であった。ヨーロッパの啓蒙主義は容易に解決できない難問を突きつけられていたからだ。その難問とは、たとえ社会改革を妨げている旧体制が排除されて啓蒙主義が勝利したとしても人間の状況が改善されるとは限らないのではないかという問いである。啓蒙主義に異を唱える人々は、もし旧体制が崩壊すれば混乱が生じて文明の地であるヨーロッパは未開の地に戻ると主張した。

啓蒙主義を信奉するフランスの知識人たちにとってフランクリンは啓蒙主義に対する反論を突き崩す存在であった。旧体制の束縛が緩やかな後進地域の出身であるフランクリンが独学でヨーロッパの誰もが成し遂げられないような科学的偉業を達成した。さらにフランクリンは、ヨーロッパの一流の知識人たちと対等に話し合える該博な知識と教養を持っていた。こうしたことを踏まえると、フランクリンの存在自体が突きつけられた難問に対する明白な答えであった。すなわち、旧体制による妨害がなくなれば、啓蒙主義の下、社会はより良く改善される可能性があるということである（ベイリン、八二〜八三頁参照）。

ヴォルテールとフランクリンの抱擁は、ヨーロッパの啓蒙主義がアメリカの啓蒙主義によって補完されたことを象徴する出来事であった。理性は普遍的に存在するだけではなく、人間の状態を改善し得るものだという確信が強められた。フランクリンは植民地独立思想が人間の状況を改善するためのものだとヨーロッパ中に知らしめる広告塔の役割を果たしたと言える。

3　ジェファーソンの自由主義

†理性と信仰

同じ建国の父祖たちの一人であってもジェファーソンはフランクリンよりも一世代年下である。またフランクリンが主に科学分野で啓蒙主義を体現する存在となった一方、ジェファーソンは「革命のペン」と呼ばれるように政治的文書で啓蒙主義を象徴する存在になった。ジェファーソンはどのような思想を背景に自然権や人民主権などの原理を独立宣言に盛り込んだのか。

独立宣言によると、自然権は「創造主」によって与えられたものである。本来、政治的文書であるはずの独立宣言になぜ「創造主」という言葉が登場するのか。もちろんアメリカがキリスト教国であり、キリスト教的な伝統を持つから「創造主」という言葉が使われても奇異ではない。ただ独立宣言は、人間が一方的に神から権利を与えられる受け身の存在であると言っているわけではない。むしろ人間の能動的な姿勢を肯定している。その背景には理神論がある。

理神論とは何か。ニュートンもフランクリンも理神論者であったことはよく知られている。そして政敵からしばしば無神論者だと批判されたものの、ジェファーソンも理神論者であったと言われる。一般的に理神論では、神は非人格的な存在だと考えられていた。すなわち、世界は神によって定められた法則によって動くので、人格的な神による介入を必要としない。

ジェファーソンの考えによると、人間は神の啓示や秘蹟によって導かれるのではなく、自らの理性によって導かれるべきであった。それは「あなた自身の理性こそ神があなたにお与えになった導き手である」と述べていることからわかる。こうした考え方の根底には、人間は神によって定められた法則を読み解ける理性的な存在であるという思想がある。

さらにジェファーソンは理性を正しく働かせるためには抑圧や迷妄から解放される必要があると信じていた。そうしたジェファーソンの信念が反映されているのがヴァージニア信教自由法である。ジェファーソンがヴァージニア信教自由法をいかに大事に思っていたかは、自ら選んだ墓碑銘に独立宣言とともにヴァージニア信教自由法が入れられていたことからわかる。

ヴァージニア信教自由法は、イギリス国教会を唯一の公認宗派とする公定教会制度を突き崩すことを目指した法である。それは、ジェファーソンにとって「教会と国家を分離する壁」であった。

政教分離に加えてヴァージニア信教自由法は「全能なる神は、人間の精神を自由なるものとして造り給い、抑圧から完全に免れることにより精神を自由のままにおくべしという至高の意思を明らかにしている」と謳っている。人間の精神を桎梏から解放できれば、純粋な知的探究に向けられるようになり、人間の状況が改善されるだろうという強い期待が込められている。そうした期待が込められていたのでヴァージニア信教自由法はヨーロッパでも啓蒙主義を伝える文書として広く読まれた。

†道徳と心情

信仰に対する見解を見ると、ジェファーソンが理性を絶対視しているように見える。しかし、そうではない。ジェファーソンによれば、人間は生まれながらにして道徳感覚を持っている。それは肉体と同じく鍛錬によって強化できる。ジェファーソンの人間観の特徴は、理性を絶対視することなく相対化して心情も重視した点にある。フランクリンも理神論を独自に解釈して、神は人間を理性的存在として作っただけではなく、道徳的存在として創造したと指摘している。

またジェファーソンは道徳の基礎を理性ではなく心情に置いている。「『頭』と『心』の対話」という有名な手紙がある。それはジェファーソンがヨーロッパ滞在中にある女性に送った恋文である。「『頭』と『心』の対話」で表現されているのは理性と心情のせめぎ合いである。すなわち、理性に従って行動するべきか、それとも心情の赴くままに行動するべきか。

恋文は実に四〇〇〇語以上にわたって長々と続くが、その中でジェファーソンは道徳の基礎は理性ではなく心情にあると述べている。結局、「頭」と「心」のどちらが勝利を収めたのかジェファーソンは述べていない。ただ「『頭』と『心』の対話」は、ジェファーソンという人間が理性一辺倒ではなかったことを示す好例である（明石、八三〜一一九頁参照）。

さらにジェファーソンは理性ではなく道徳感覚に普遍性を求めた。そうした考え方はどこから生まれたのか。それは新約聖書のイエス・キリストの言葉に基づいている。

ジェファーソンは、イエス・キリストが遺した教えの断片を丹念に拾い上げれば、最も崇高な道徳の体系が完成するはずだと考えた。そうした考えに基づいて、ジェファーソンは新約聖書のラテン語版、ギリシア語版、フランス語版、英語版を比較検討した。そのうえでイエス自身の思想や生涯にまつわる事項を抜粋して時間や主題の一定の順序に従って再構成した。ジェファーソンにとってそうした作業は「ガラクタに埋もれている真のイエスの姿を引き出す」ことであった。

ジェファーソンにとってギリシア・ローマの哲学者が説く徳目は、個人主義的な生き方に基づく考え方であった。その一方、イエス・キリストはユダヤ教の教義を改めて全人類への博愛を説いた点で優れていたとジェファーソンは論じている。つまり、個人主義的な生き方よりも全人類に対する義務を果たすことが重要である。こうした考え方は、独立宣言における「すべての人間は生まれながらにして平等」という文言に色濃く反映されている。

†人民の啓蒙

パリ郊外のフォンテンブローの近辺でジェファーソンは一人の貧しい女性に出会った。道すがらその女性からジェファーソンは貧しい人々の生活について話を聞いた。女性の話によれば、しばしば仕事が見つからないのでパンなしで過ごすこともあるという。別れ際にジェファーソンは道案内の謝礼としてその女性にお金を与えた。突然、泣き出した女性を見たジェファーソンは、これまで女性は温かい援助を受けたことがなかったのだろうと思った。

貧しい女性との出会いはジェファーソンに富の不平等な分配について考えさせた。ジェファーソンによれば、政府が富を平等に分配することはできないが、「人間の心の自然な愛情」に従って富が分配されるように気をつけることはできる。

後にジェファーソンは、人民のベッドを柔らかくしたり野菜しか入っていなかった釜に肉が入るようにしたりするために理性を活用できれば崇高な喜びを感じられるとラファイエットに語っている。自分の目でフランス社会における不平等を見たジェファーソンは、アメリカに大規模な共和政体を樹立するという実験を新たな角度から見られるようになった。

ジェファーソンには、理性はすべての人間に存在するという信念があった。真実は簡明なものである。しかし、人民は真実を容易に理解できない。因習や何らかの強固な制度によって確立された固定観念に目を覆われているからだ。では真実を発見するためにはどうすればよいのか。得られた知識を経験的事実に基づいて自力で精査すればよい。そうした知的態度を持つことが啓蒙である。それは理性において誰もが平等であるという普遍性を示している。

人民が健全な知的態度を身につければ、真の自由は保たれるとジェファーソンは考えていた。人民は本質的に善性を持ち、教育と経験を通じて啓蒙されれば正しい選択をするからである。いずれにせよ、真の自由は理性の進歩に基づかなければならない。真の自由とは拘束からの解放ではなく、自然権を不断の努力で守ることである。不断の努力の重要性についてジェファーソンは次のように述べている。

法律と制度は、人間の精神の進歩とともに受け継がれなくてはならない。新しい発見があり、新しい真実が明らかにされるとともに法律はより発達し、より啓蒙される。慣習や見解も状況に応じて変化する。また制度も時代と歩調を合わせなければならない。

ジェファーソンの考えによれば、あくまで社会契約は一つの世代に限定される。ある世代によって結ばれた社会契約は、次世代にとって因習や何らかの強固な制度によって確立された固定観念になり得るからである。つまり、新しい世代は「幸福を最も増進させると思われる政体」を自分自身で精査したうえで選択しなければならない。

ジェファーソンがそのような不断の努力を人民に求めたのはなぜか。もし自由が理性の進歩ではなく暴力によって獲得され、十分に知識を持たない人民に与えられれば専制に変わると思っていたからである。それとは逆に高い教育を受けたアメリカ人が自由を保障する政治制度を今後ずっと維持できれば、広大な土地に自由の帝国を築けるだろうとジェファーソンは信じていた。

4 植民地独立思想の遺産

†フランス革命への継承

アメリカ独立戦争がアメリカの勝利で終焉したことによって、独立思想は理念を実践に移した輝かしい前例となった。独立思想を伝える多くのアメリカの公文書が翻訳されて世界中に流布した。ディドロは、アメリカでは不平等な富の分配が是正されているだけではなく自由が維持されていると主張した。コンドルセは、アメリカの信教の自由や出版の自由を高く評価した。

ジェファーソンは三部会で強まる改革の動きをつぶさに見ていた。多くのアメリカ人と同じく、アメリカ独立革命の後継者としてフランス革命に期待を寄せていたからである。ジェファーソンは次のように改革に関する希望を述べている。

いずれにせよ、現在の混乱はうまく収まるだろう。我々の革命によって目覚めた人民は自分たちの力を感じ、啓蒙されている。その光は広がり、後戻りすることはないだろう。

ジェファーソンは、ラファイエットがフランス人権宣言を起草するのを手伝った。それはラファイエットの求めに応じた結果である。その結果、フランス人権宣言には自由と平等や人民主権など独立宣言で謳われた普遍的な原理が盛り込まれている。

ジェファーソンは、国王が一部の権力を手放して立憲君主制を樹立する穏健な改革を進めるのが最も望ましいと考えていた。君主制を擁護したかったからではない。完全に君主制を撤廃して共和政体を樹立する段階までフランスの人民は成熟していないと思っていたからである。

そうした考えの下、ジェファーソンはラファイエットが開明的な貴族たちを率いて人民と手を結んで専制を抑止できる政治制度を樹立することを期待した。ジェファーソンにとってフランス革命が成功するか否かはアメリカ独立革命の成功を占う重要な問題であった。

かねてより一時帰国を願い出ていたジェファーソンは一七八九年九月二六日にパリを離れた。ジェファーソンはすぐにフランスに戻って革命の推移をその目で見るつもりであったが、フランスの地を踏むことは二度となかった。結局、ジェファーソンはアメリカから革命の推移を見守ることになった。

ジェファーソンが去った後、フランス革命はしだいに激化の様相を示し始めた。ラファイエットの投獄やロベスピエールの恐怖政治、内乱などフランス革命にともなう混乱は「嘆かわしいあやまち」だとジェファーソンは厳しい評価を下している。ただジェファーソンはフランス革命の理念自体は高く評価していた。フランス革命が成功するか否かは全人類の命運を左右すると固く信じていたからである。

我々はいまだに歴史の第一章にいるにすぎない。かつて合衆国でおこなわれた人間の権利のための訴えは、ヨーロッパ諸国の中で最初にフランスによっておこなわれた。フランスからその精神はヨーロッパの南部に広がっている。北部の専制君主たちはそれに抵抗しようとして同盟を組んだが抵抗できないだろう。そうした抵抗は多くの犠牲者を出すのみであり、彼らの追従者たちも人間の権利を得ることになるだろう。そして文明化された世界の人類の状況は最終的に大いに改善されるだろう。

†大西洋革命の危機

晩年、ジェファーソンはナポレオン戦争の終結とウィーン体制の成立を知った。それはジェファーソンにとって一八世紀に達成された輝かしい啓蒙と革命に対する深刻な危機であった。ともに独立宣言を起草したジョン・アダムズ（一七三五〜一八二六）に宛てた手紙の中でジェファーソンは「人間の道徳と理性の改善を見るという喜ばしい希望を我々は断念しなければならないのか」と問うている。続いてジェファーソンは各国の暗い状況を語った後、「我々の労力が失われることはないと信じている。私は光と自由が着実に前進しているという希望なくして死ねない」と述べている。そしてジェファーソンは次のように強い信念を語った。

もし暴虐と専制の暗雲が再びヨーロッパの科学と自由を曇らせるなら、わが国は光と自由をヨーロッパに取り戻す。要するに、一七七六年七月四日に燃え上がった炎は全地球に拡大しているので、専制の弱い力では掻き消すことはできない。それどころか、炎は専制の力と専制のために働く者たちすべてを焼き尽くすだろう。

ジェファーソンの信念は間違っていなかった。独立宣言が公表されて以来、地球上で多くの国々がさまざまな過程を経て独立を遂げた。そうした国々の中には独立宣言で示された普遍的な原理を採用している国も少なくない。たとえばヴェトナムは一九四五年に発表した独立宣言でアメリカ独立宣言の言葉を引用してその理念を明らかにしている。また日本国憲法にも「生命、自由及び幸福追求に対する国民の権利については、公共の福祉に反しない限り、立法その他の国政の上で、最大の尊重を必要とする」という文言があることはよく知られている。

植民地独立思想は、人間の状況を改善するためにより良い統治を実現するにはどうすればよいかという問いに答えを与えるものであった。もちろんその回答はあくまで一つの答えであって、あらゆる問題を解決できるものではない。事実、独立宣言ですべての人間の自由と平等が謳われているにもかかわらず、アメリカには奴隷制度が存在するという問題があった。他ならぬジェファーソン自身が奴隷を所有していた。それは独立思想における最大の矛盾であった。

奴隷制度の撤廃はリンカン（一八〇九～一八六五）の登場を待たなければならなかった。リンカンは、独立宣言で示された普遍的な原理を北部の正統性を主張する基本原理とした。それは独立宣言の理念が時代を越えて継承されたことを意味する。

理念を実践に移すためには、今、生きている人間の不断の努力が必要である。さもなければ理念は単なる空理空論に終わってしまい、現代の人間の状況を改善できなくなってしまう。それは人間性を軽視することにつながりかねない。そうした問題を抱えながらも植民地独立思想には、人間の状況は人間自身の手によって解決可能であるという強い信念がある。そうした信念は多くの問題に直面している現代の我々にも希望の光を与え続けている。

さらに詳しく知るための参考文献

ベンジャミン・フランクリン『フランクリン自伝』(松本慎一・西川正身訳、岩波文庫、一九五七年)……少年時代から独立運動が始まる前夜までのフランクリンの半生を描いた自伝であり、アメリカ資本主義の精神を伝える書としてアメリカだけではなく日本でも広く読まれた。

T・ジェファソン『ヴァジニア覚え書』(中屋健一訳、岩波書店、一九七二年)……ジェファーソンの存命中に唯一公刊された著作であり、質問に答える形でヴァージニアの地理や社会制度、歴史など多岐にわたる話題を論じている。

バーナード・ベイリン『世界を新たに　フランクリンとジェファソン――アメリカ建国者の才覚と曖昧さ』(大西直樹・大野ロベルト訳、彩流社、二〇一一年)……一八世紀ヨーロッパ世界において辺境でしかなかった地に生まれたフランクリンとジェファーソンがどのようにしてその後の世界に影響を与える思想を導き出したのかを述べた論考。

ゴードン・S・ウッド『ベンジャミン・フランクリン、アメリカ人になる』(池田年穂・金井光太朗・肥後本芳男訳、慶應義塾大学出版会、二〇一〇年）……イギリス帝国制度の中で忠実に生きていたフランクリンがどのような内心の変化を経てアメリカ独立思想の立役者になったかを活写する本格的評伝。

明石紀雄『モンティチェロのジェファソン――アメリカ建国の父祖の内面史』（ミネルヴァ書房、二〇〇三年）……ジェファーソンの思想が形成される過程を私的な側面から追究した本格的研究書。

コラム5 フリーメイソン

橋爪大三郎

フリーメイソンリー（Freemasonry）とは、石工の組合のこと。中世にはさまざまな職人組合があった。なかでも石工は、故郷を離れ建設現場に長期間住み込むので、結束が固かったという。

今日「フリーメイソン」として知られるのは、近代フリーメイソン。中世の石工組合の伝統を継ぐというが疑わしい。一七一七年にロンドンで結成された。それがフランスやドイツ、アメリカにも広まり、有力な結社となった。儀式の際に着用するエプロンや、直角定規とコンパスのマークなどの象徴を用いる。秘密の儀礼を行なう「秘密結社」である。

どういう理由で、フリーメンソンは広まったのだろう。第一に、身分や教会から自由な社交クラブである。新興の市民階級は、貴族や有力者と知り合って、情報を交換したいと思った。高等教育が普及していなかったので、石工が用いるとされる幾何学（理工系の知識）は、知的欲求を満たした。近代社会の基本認識を共有することができた。第二に、人脈のネットワークをつくれる。カトリックと違い、プロテスタントの教会はいくつもの宗派に分かれている。フリーメイソンは、そのどれかの信仰をもっていさえすればよく、内部で宗教の話はしない。プロテスタントの信仰を棚上げにするフリーメンソンは、理神論

（ディズム）を基本にしている。理神論は啓蒙思想とも通じる、当時の最新思潮だった。アメリカ独立革命は、フリーメイソンのネットワークがなければうまく行かなかったかもしれない。ジョージ・ワシントンもベンジャミン・フランクリンも、メイソンだった。第三に、食べて飲んで楽しむチャンスを提供した。教会は奥さんや家族連れだが、メイソンの集まりは男性だけ。集会所（ロッジ）は長らく、居酒屋を兼ねていた。メイソンと言えば、酔っぱらいと決まっていたほどだ。第四に、名誉心を満足させる。メンバーはいろいろ階級に分かれていて、だんだん出世する。そのたびに儀式がある。金回りのよいおじさんが、名士気取りができる。それなりにお金もかかる。寄付を集めて、慈善活動をする。テンプル騎士団、シュライナーなど派生団体がいくつもあり、かけもちすると忙しい。

このように無害な団体なのになぜ、陰謀集団の噂が絶えないのか。各国の諜報機関が噂を煽り立ててきたのがひとつの理由だ。日本でも陸軍が陰謀論を広め、危機感を煽った。連合国軍司令官のマッカーサー元帥はメイソンで、GHQにもメイソンがいた。キリスト教や理神論の素養が不足していると、粗雑な陰謀論でも真に受けてしまいやすい。

フリーメイソンはずっとカトリック教会に対抗意識をもってきた。最近は、ムスリムや仏教徒にも門戸を開いている。社会関係をリセットできる解放感が魅力なのだろう。

第7章
批判哲学の企て

長田蔵人

1 批判哲学とは何か

†批判哲学と啓蒙

私たちが真理や道徳的な正しさを求めて思考、判断しようとするとき、その導き手として頼るべき能力は、感覚や感情であるのか、それとも理性であるのか。ヨーロッパの学問的後進国であったドイツ（当時プロイセン王国）の哲学者イマヌエル・カント（一七二四〜一八〇四）は、ある種の感覚や感情を知的活動の第一原理とみなす国内外の思潮を北方の辺境から見届けつつ、感覚・感情か理性か、という問いを自らの課題として引き受けた。本巻の主題は一八世紀の感情論であるが、カントの結論は、理性主義を改めて徹底することであった。

カントの批判哲学とは、その理性主義の基盤となる探究であり、それはカントの「啓蒙」理解にも本質的なかかわりを持つことになる。カントは「啓蒙の世紀」の終盤に、現代にまで影響を及ぼす「啓蒙」の理念を提示し、啓蒙思想の功罪を考えるうえで必ず問い尋ねられるべき哲学者になった。本章では、そのカントの「啓蒙」理解と批判哲学との関係を考察し、理性主義の限界や弊害が指摘される現代においてもなお、カントの批判哲学を見直すことの世界哲学史的な意義を問うことにしたい。

批判哲学という言葉は、カントの三つの主著、『純粋理性批判』(一七八一年/第二版一七八七年)、『実践理性批判』(一七八八年)、『判断力批判』(一七九〇年)のタイトルに由来し、これらの著作を中心に展開されたカントの哲学的探究を一般的に表している。その一七八〇年代という時期は、ニュートンの『プリンキピア』刊行(一六八七年)から一〇〇年、アメリカ独立宣言(一七七六年)の直後でフランス革命勃発(一七八九年)の前夜というタイミングであった。その時代状況を映してカントの批判哲学は、学問の近代化と市民社会の形成に必要とされる知的能力のあり方の模索となり、理性主義に基づく「啓蒙」の理念に到達する。本稿はその理性主義を確立した『純粋理性批判』と『実践理性批判』に焦点を絞ることにしたい。

†「啓蒙とは何か」

批判哲学の密林に分け入る前に、カントの「啓蒙」概念の基本的な理解を押さえることで、批判哲学のどのような側面を本章が捉えようとしているのか、その方向づけをしておきたい。「啓蒙とは何か」（一七八四年）というよく知られた論文の冒頭でカントは、この問いに対する回答を端的に提示する。

啓蒙とは、人間が自ら招いた未成年状態から脱け出すことである。

「未成年状態」とは、「他者の指導がなければ自分自身の知性を用いることができない」状態のことである（この論文では「知性」と「理性」は同義と見てよい）。そしてその状態を「自ら招いた」というのは、本来であれば自分自身で思考できるはずの成人が、怠惰と臆病のために、自ら進んで他者の権威に従おうとするからであると言う。そのような未成年状態の例としてカントが挙げているのは、真理について自分自身の知性や理性を用いる代わりに、他者の著した書物に考えてもらうこと、あるいは、善悪について自分自身の良心の代わりに教会の牧師に判断してもらうこと、などである。

そのように自分自身の思考力を働かせることを放棄し、善悪の判断を他人任せにすることが怠惰の結果である、ということはすぐに理解できる。カントは、未成年でいることはそれほど安楽なことなのだと述べている。ではそれが臆病の結果でもあるとは、どういうことだろうか。

一つには、それは間違えることへの恐れであると言える。しかしまた一つには、責任を負う気概の欠如ということでもあるだろう。自ら考えて判断するということは、その結果に対する責任を自分が引き受けなければならないということでもある。そうした責任や過ちへの怖気（おじけ）と怠慢から、多くの人々が有力者の意見を鵜呑みにしてそれに身を任せている。

そのような認識に基づいてカントが唱える啓蒙とは、思考や判断において「権威」に盲従しない姿勢としての知的自立である。カントはそのような自立を求める啓蒙の精神を、一つの標語（スローガン）によって表す。

自分自身の知性を用いる勇気を持て。

カントが引き合いに出す右の事例から分かる通り、ここで念頭に置かれている知性使用（理性使用）とは、真理の探究や善悪の判断にかかわるものである。これから確認するように、カントの『純粋理性批判』と『実践理性批判』は、理性の学問的な自立と道徳的な自立を可能にする条件の解明として読むことができる。批判哲学とは、そのような知的自立（啓蒙）に至りうる能力としての人間理性に対する信頼構築の企てである。

2 『純粋理性批判』の問い

†理性の自己批判という企て

『純粋理性批判』という名のもとでいったい何が目指されているのか、タイトルからその趣旨を推察することは難しい。カントがこの奇妙なタイトルのもとで追究したのは、「形而上学は正当な学問として成立しうるのか否か」という問いであった。カントがここで取り上げようとしている形而上学とは、ドイツ啓蒙初期の哲学者クリスティアン・ヴォルフ（一六七九〜一七五四）の体系かそれに準じたものであり、「神」、「世界」、「魂」および「存在者一般」を探求対象とする学問であった。これらの対象の性質上、形而上学は、観察や実験によって実証的に真偽を確かめることのできない主張を、理性、すなわち根拠と帰結の系列をたどって推論する能力を頼りに、思弁的に導き出そうとする探究になる。

だがかつては「万学の女王」と称されたこの学問も、当時はその信頼を失いつつあった。というのは、たとえば神の存在や世界の空間的または時間的な限界の有無、あるいは魂の不死性といった問題に対して、形而上学は数学や自然科学ほどの確実な認識をいっこうに示しえていないからである。

　そのような状況に対して、カントが為すべきであると考えたのは探究の保留であり、はたして理性という認識能力にとって、それらの課題はそもそも遂行可能であるのか否かを見きわめる、ということであった。その「見きわめ」の作業こそ、『純粋理性批判』、すなわち『純粋な理性に対する批判』という独特なタイトルが意味することである。

　ここでの批判対象が「純粋な理性」であるとされるのは、観察・実験という経験的な手段に依拠しない純粋な推論だけで、神、世界の限界、魂についての学問的認識、つまり学知（scientia/science）が成り立つのか否か、それが見きわめられなければならないからである。そして「批判（Kritik）」という言葉のもとで目指されるのは、ギリシア語に由来するこの語の本来の意味である「区別」や「判別」ということである。つまり、純粋な理性が学知として認識しうることと認識しえないこととを判別するという限界規定が、この著作の主題である。

　ここで留意すべきことは、カントがこの批判的探究を、理性に対する理性自身による批判の企てとして理解しているということである。そのように理性が自己に為しうることと為しえないことを区別し、能力の限界を自ら画定できるということ、また、自己の錯誤を錯誤として認識し、その原因を突き止めることができるということ、そうした自己批判が理性に可能であるとするならば、そこにこそ、この能力に対する信頼の源が求められうる。カントはそのように考えたのである。

†『純粋理性批判』のプログラム

では、その理性の自己批判はどのような結論に至るのか。それは、カントの友人であるユダヤ人哲学者モーゼス・メンデルスゾーン（一七二九〜一七八六）をして「すべてを粉砕するカント」と嘆かしめたような、全面的な否認であった。つまり、人間理性は神の存在についても、世界の限界の有無についても、魂の不死性についても学知を得ることはできず、したがって思弁的形而上学は成立しない。これが『純粋理性批判』の結論である。

世界の限界についてはともかく、神の存在や魂の不死性についての学知が成り立たないということは、現代の私たちにとっては驚くべきことではない。しかしカントの時代には、ヴォルフやメンデルスゾーンのみならず多くの哲学者・科学者が、神や魂は学問的探究の対象でありうると考えていた。自然科学の近代化が進行中であった当時、学知の本質や限界についての理解は成熟していなかった。そのようななかで、特に神の存在証明は、自然科学の基盤に関わる重要な意味を持っていた。

私たちの知る数学的自然科学は、一七世紀科学革命を通じてガリレオやニュートンらによって立ち上げられたばかりであった。そこでは、「自然が数学的構造を持つのはなぜか」という疑問は、「知的創造主による世界の創造」という宗教的信念によって答えられていた（本書第5章参照）。近代科学三〇〇年の蓄積のうえに立つ私たちにとっては、適切な科学的知識の妥当性を認めると同時に、自然の数学的構造が偶然の産物であると認めることは不可能ではない。しかし一八世紀の哲学者・科学者にとっては、「科学的知識は普遍的な妥当性を持つ」という信念が、「神が自然をそのように創った」という信念によって支えられていたのである。

そうしたなかで形而上学の不可能性を主張するということは、自然科学の普遍的妥当性という信念について、神に代わってそれを保証する手立てを見つけなければならないということでもある。そこでカントは、『純粋理性批判』のプログラムを以下のように構想する。純粋な理性が学問的に認識しうることと認識しえないこととを区別するためには、まず学知がどのような条件のもとで成り立つのか、その可能性の条件をあきらかにする必要がある。しかもその条件は、自然科学が持つべき（とカントが信じる）普遍的妥当性を、神の摂理を前提することなく可能にするものでなければならない。そのような普遍的学知の可能性の条件を問い、形而上学がその条件を満たしうるか否かを吟味することによって、形而上学の成否を決定する。これが『純粋理性批判』の探究の枠組みである。この探究の結果、カントは以下のような存在論の革新に至る。

†存在と知の普遍的相即

私たちの常識的な理解では、ある対象についての認識が成り立つためには、まずその対象が感覚を通じて与えられ、その感覚与件に基づいて対象の属性や関係性が認識される、という順序が考えられる。その場合、対象について私たちがどのような認識を得るかは、その対象の有りようによって決まるとみなされる。

ところがカントの考えでは、そのような仕方で成り立つ認識は経験的な認識でしかなく、そして経験的認識によるだけでは、カントが学知に求める普遍性に到達することはできない。なぜならばその場合の妥当性は、経験が実際に及んだ範囲でしか認められないからである。

そこでカントは、普遍的な学知が可能であるためには、認識が対象に従うのではなく、むしろ対象が認識に従う、と考えるべきではないかと問う。つまり、どのような対象が成立するかは、私たちがそれをどのように認識しているのかによって決まり、その認識の仕方は、私たちの認識能力に備わる形式によって定められる。コペルニクスの発想になぞらえられたことで知られるこの「思考法の変革」を推し進めることにより、カントは以下のような主張を導き出す。

私たちの経験的認識は、感覚器官を通じて知覚内容を受容する感性と、知覚内容に概念を与えて把握する知性（悟性）との協働によって成り立つ。そして両者にはそれぞれに固有の形式が備わる。感性の形式は「空間」と「時間」であり、知性の形式は「量」や「質」、「原因」と「結果」などの最も基本的な一二個の概念（カテゴリー）である。これらの形式の働きの結果として、対象は空間・時間のうちに存在するものとして認識され、またそれがある一定の量や質を持つというあり方や、他の対象の原因や結果であるというあり方が可能となる。

この奇抜な主張のために積み重ねられた数々の困難な、必ずしも成功しているとは言えない証明や、カントがそこで見せる創意や論理をここで味わうことはできない。本稿では、この「思考法の変革」の帰結を見届けるだけに留めたい。

私たちの認識対象がある属性や関係性を持つものとして存在するということは、私たちが感性と知性の形式を通じてそれを認識するということを離れては成り立たない。つまり、私たちにとっての対象の存在は、その対象の認識を成立させる形式によって条件づけられている。他方で、対象が私たちの認識の仕方（形式）から独立にどのようなあり方をしているのかということは、私たちには決して知られえない。したがって私たちの認識対象は、感性形式と知性形式を通じて私たちに現れるかぎりでの「現象」であり、その対象がそれ自体としてどのようであるのか、その「物自体そのもの」としてのあり方は不可知である。

こうして「現象」の世界と「物自体」の世界とが区別されることになる。そしてある現象についての知の可能性の条件（感性と知性の形式）は、その現象の存在の可能性の条件にほかならないので、現象界にかぎれば存在と知は普遍的に対応する。カントに従えば、これにより普遍的学知としての自然科学の可能性が保証されることになる。他方で、神、世界全体、魂という形而上学の対象は感覚的に知覚されうるものではないゆえに、それらは感性形式という知の可能性の条件を満たすことはできない。したがって、それらは物自体の世界に属するものとして信仰の対象にはなりえても、私たちに可能な学知の対象とはなりえない、言い換えれば、思弁的な形而上学は学問として成立しない。このように結論づけられる。

3 『実践理性批判』の問い

†「純粋実践理性」の道徳性

次に、カントの倫理学上の主著である『実践理性批判』の探究に目を向けてみる。

序文の言葉によればこの著作の課題は、「純粋実践理性が存在する」、言い換えれば、「理性は純粋理性として実践的である」という命題の証明である。なぜそのようなことが問題になるのか、そもそもこの命題は何を意味しているのか、やはり即座には理解しがたい。

「実践理性」とは、「理論理性（思弁理性）」と対を成す概念である。簡潔に言えば、理論理性は「対象がどうあるか」を認識し、実践理性は「対象がどうあるべきか」を認識する。前者は対象の知をもたらす「理論的認識」の能力であるのに対し、後者は対象の知ではなく、対象を実現する行為をもたらす「実践的認識」の能力である。またここでの「純粋」とは、『純粋理性批判』における場合と同様に、経験に依拠しないことを意味する。行為への意志決定の際に、快・不快の感情や欲求、また幸福を求める性向などによって実践理性が影響を受けるならば、その理性は経験的に条件づけられていることになる。感情、欲求、性向は経験的認識に基づくからである。これに対してカントは、そのような経験的条件に依拠しない、純粋な理性だけが為しうる実践的認識が一つだけある、と主張する。それは道徳法則の認識である。

では、道徳法則を認識する理性はなぜ純粋でなければならないのだろうか。それは、カントが道徳法則から一切の主観性・恣意性を排除し、厳格な普遍的妥当性を求めようとしたからである。道徳法則がおよそ道徳的であるためには、それはすべての理性的存在者の意志決定に対して、例外なく等しく適用されねばならず、そのように普遍的に公平でなければ「道徳的」とは言えない。ところが感情、欲求、性向は、各個人によって異なる主観的な要素である。したがって道徳法則が普遍的に妥当するべきものであるならば、その法則はそれらの要素から独立に、純粋な理性によって認識されるものでなければならない。

以上の観点からカントは、純粋な実践的認識を可能にする条件として、次のような非経験的形式を導き出す。

あなたの意志の格率〔方針〕が、つねに同時に普遍的立法の原理として妥当するように行為せよ。

これは「定言命法」と呼ばれ、道徳的であるためには無条件に（＝定言的に）従われるべき理性の命法（命令）であるとされる。

なぜ無条件とされるのかというと、条件つきの命法（たとえば「商売に成功したいならば正直であるべきだ」）では、その条件の部分に主観性や恣意性が避けがたく混入し、道徳的命法としての普遍性が得られないからである。また「格率」とは、各個人がそれぞれに持つ行動方針のことを言うが（たとえば「返す当てのない借金をしてもよい」、「つねに誠実であるべきだ」など）、これは元来、主観的な信条に過ぎない。そこで人が道徳的であるためには、各個人の多様な格率が、それぞれ普遍的に妥当しうるかどうかが吟味されなければならない。右の定言命法はそのための規準を示している。つまり、〈道徳法則を立法しようとしている理性的存在者の全員が、あなたの格率を道徳法則として採用すると考えられるか否か〉、これが判定されなければならない。格率がそのように普遍化可能であると判定されるならば、それは道徳法則として認識されたことになる。

†感情か理性か

前述のように『実践理性批判』の課題は、「純粋実践理性が存在する」、あるいは、「理性は純粋理性として実践的である」という命題の証明であった。そこでその証明のためには、上記のような純粋理性による道徳法則の認識が、たんなる理論的認識とは異なり、その法則に従って行為するように意志を決定する、ということを立証する必要がある。なぜならば、理性がそのような意志決定を行いうると理解されることによってのみ、理性はたんなる認識能力ではなく実践的な能力でもあると認められうるからである。

ところがカントは、純粋理性がそのような能力でありうることは、ただ「理性の事実」としてのみ、すなわち、認識された道徳法則の強制力を私たちが事実として意識している、ということによってのみ洞察できるとする。というのも実は、カントは道徳について私たちが常識的に持つ拘束力の意識を、所与の事実として認めるところから出発しているのである。そのうえで、その意識が真に普遍的な道徳的意識であるための可能性の条件として、定言命法という理性形式がその根底にあるべきことを論証する、それがカントの構想であったと考えられる。このように「理性の事実」に訴える議論の子細や是非を検討することはできないので、ここではその構想の素地となったカントの問題意識に目を向けることにしたい。

カントは、理性がいかにして実践的でありうるか、という問題に取り組む必要性を、スコットランド啓蒙の道徳感情論の影響のもとで認識するに至った。『自然神学と道徳の原則の判明性について』(一七六四年)という論考においてカントは、フランシス・ハチスン(一六九四〜一七四六)を引き合いに出しつつ、次のような問いかけでこの論考を締め括る。「実践的哲学の第一の原則を決定するのは、たんに認識能力であるのか、それとも感情であるのか。このことが何よりもまず解決されなければならない」。カントはこの論考ではその最終的な解決を提示するには至らないが、どちらかと言えば感情論の立場に賛同している。

しかしハチスンの影響の重要性は、その問題解決にあるのではなく、感情か理性か、という問いそのものをカントに与えた点にこそある。実際のところ、この問いが『実践理性批判』にまで持ち越され、認識能力である理性がいかにして実践的でもありうるのか、という課題とその解決に結実するのである。カントがこの問題を特に重く受け止めたのは、道徳感情論の背後に、ハチスンやデイヴィッド・ヒュームによる以下のような鋭い理性批判があったからであり、『実践理性批判』はそれに対する応答という意味を持つ。

ハチスンやヒュームによれば、行為への意志を決定するのは認識ではなく感情や情念であり、たんなる推論や計算の能力である理性には行為を生む力はない(ハチスン『情念と感情の本性とふるまいについて』、ヒューム『人間本性論』、本書第2章参照）。たしかにこの推論の能力によって、たとえば「全体の幸福にとって何が有益か」ということを知ることはできるかもしれない。しかしそのような認識を得たとしても、その対象を実現するための行為へと意志を決定するのは、認識それ自体ではなく、自分や他者のために有益なものを求めようとする「自己愛」や「仁愛（benevolence）」の感情にほかならない（ハチスン同書）。このような理性批判を受け、それでもなお、純粋理性は実践的でありうる、つまり道徳的行為に向けて意志を決定しうる、ということを立証するのが『実践理性批判』の課題だったのである。

†道徳性と自己批判の能力

では反対にカントの立場から見て、理性ではなく感情を道徳の第一原理とみなす考え方にはどのような問題があったのだろうか。ここでは二点だけ指摘しておきたい。

第一にはやはり、感情は主観的であるという問題がある。感情を道徳的認識の基礎に据えようとするかぎり、それはカントが求める普遍性に到達することはできない。よく知られるように、カントはジャン＝ジャック・ルソーの強い影響のもとで、「一般意志」の概念（『社会契約論』、本書第3章および第4章参照）に着想を得た普遍的道徳を構想し、道徳感情論と袂を分かつことになる。

その感情の主観性が道徳的認識の妥当性にとって問題になるということについて、『道徳感情論』を著したアダム・スミスも無自覚ではなかった（本書第2章参照）。『道徳感情論』によれば、人間の「良心」（「内なる公平な観察者」）は、「共感」を規準にして自他の行為を道徳的に評価する。しかし認識主体であるその良心が、どのような感情にどの程度の共感を抱くかということは、その感情に基づく行為が偶然にもたらす結果の有りようや、そのときどきの心理状態に大きく左右される。そこでスミスによれば、良心はそのような「感情の不規則性」を是正し、自他の判断の一致を可能にするための「一般的規則」を形成することになる。だがそのような一般性を認識し、それに合わせて自らの感情をコントロールするようなことは、感情だけでは為しえないことである。したがってスミスの道徳感情論にも、知的能力による自己批判という要素が含まれることになる。「道徳的」であるためには、「自己批判的」であることが求められるのである。そしてその一般性を厳密な普遍性にまで高めるために、理性に規準を求めたのがカントの立場である。

第二に、感情や感覚にはそのような自己批判の能力が欠けていることから、道徳感情論にとっては意志の自由の可能性を説明することができない、という問題が指摘されうる。この理論は、ある種の感受性が人間本性に備わっているという主張であり、道徳感情や道徳感覚（ハチスン）とは、その自然本性に従った働きである。たとえば仁愛に対して感じられるとされる共感や快さ（道徳感覚）は、人間本性がそのようにできているということを前提としており、法則に即して生じるものと理解されうる。さらにその理解の根底には、神の摂理としての道徳的な人間本性、という思想があることも指摘されねばならない。

これに対してカントは理性を、「法則に従って作用する」のではなく、「法則の表象に従って行為する能力」であるとみなす（『人倫の形而上学の基礎づけ』（一七八五年））。つまり理性は、感情や感覚のようにたんに「法則に従って作用する」のではなく、まず道徳法則の表象を得る、言い換えれば道徳法則を認識するのであり、そのうえでその認識内容（法則）に則って行為する、ということが可能である。それは前述のように、自らの格率を対象化してそれを吟味し、従うべき格率を道徳法則として認識して自らに課す、ということである。

カントは、理性のそのような自己立法的なあり方を「自律（Autonomie）」と呼び、それだけが真の意味での「自由」であると考える。なぜならば、感情や欲求などの人間本性から独立に、道徳法則の認識だけを意志決定の根拠とする場合にのみ、意志は自然因果律の束縛から自由であると言いうるからである。

以上が批判哲学の骨子である。そこで確認できたカントの主張は、学問的認識や道徳的意志決定について、その成り立ちを神学的前提に拠ることなく説明する普遍的原理（感性・知性の形式や定言命法）が存在するということ、したがって人間理性は、理論理性として現象界の普遍的学知を獲得しうるとともに、実践理性として普遍的道徳を意志しうるということであり、しかし他方で、超感性的な対象を学問的に認識することはできない、ということだった。さらにカントに従えば以上のことは、理性にできることとできないことを理性自らが区別する、という自己批判の探究を通じてあきらかにされることである。そこで最後に次節では、そうして確立されるカントの理性主義が「啓蒙」に対して持つ意味をあきらかにしたうえで、批判哲学の世界哲学史的な意義について考えてみたい。

4 啓蒙と理性主義

†感覚か理性か

カントの理性主義と啓蒙との関係は、「思考の方位を定めるとはどういうことか」（一七八六年）と題される論文から読み取ることができる。この論文でカントが追究するのは、以下のような問いである。経験を超えた問題（たとえば宗教上の問題）の考察において、私たちの思考が進んでよい方向や進むべきではない方向を区別して示してくれるような、思考の羅針盤となるのはどのような能力か。そしてカントがここで特に問題視しているのが、「コモン・センス」と呼ばれる能力の想定である。

これは人間に備わる「真理の感覚」として、スコットランド啓蒙のいわゆる「常識学派」によって提唱された概念である。たとえばジェイムズ・オズワルド(一七〇三〜一七九三)は、この能力を次のように説明する。

理性的な存在者が非理性的な存在者から区別されるのは、論証的能力によってというよりはむしろ、ある種の明白な真理の知覚と判断によってである。それは、その迅速性、明証性、および疑う余地のない確実性によって感覚と呼ばれるが、すべての理性的な存在者によって多かれ少なかれ所有されるということに鑑みて、コモン・センス〔共通感覚、常識〕と呼ばれる。(『宗教のためのコモン・センスへの訴え』)

この引用から分かるように、スコットランドの哲学者たちにとってコモン・センスとは、真理の感覚的・直接的な認識を与える能力であり、いわば真理の源泉である。ドイツでも、メンデルスゾーンのような「通俗哲学」の提唱者がこのコモン・センスの思想を取り入れ、この能力を理性と同一視する形で、真理認識の第一原理とみなした。

しかしカントの立場から考えると、そのような仕方で理性を感覚能力と同一視することは、理性の独断化につながる。なぜならば、感覚には自己批判の能力がないからである。そしてカントによれば、理性の独断化は「哲学的狂信への一本道」であり、理性批判だけがそれを防ぎうる。そこで『純粋理性批判』では、思弁的な形而上学がまさにそのような理性の独断化の産物であるとされ、理性自身の批判によって退けられたのだった。

これを踏まえて「思考方位」論文では、理性が狂信や迷信に陥らないために用いるべき、真理探究の「試金石」が示される。それは、〈自分が考えたことの根拠や、そこから帰結する規則が、普遍的原則として通用するか否かを自らに問う〉という普遍化可能性のテストである（『判断力批判』では、他者の立場に身を置くことで可能となる「普遍的立場」から自己の判断を反省する思考法、として定式化される）。定言命法に通じるこの規準をカントは「理性の自己維持の格率」と呼び、この規準に照らした不断の自己批判にこそ理性の本領があると結論づける。そのような自己批判を行えないならば、理性は理性ではなくなってしまうのである。

カントによれば、「自分自身の理性を用いる」という啓蒙の理念が意味するのは、上記のような「真理の試金石」を自己のなかに持つことであるという。なぜならば、「自分自身で考える」という啓蒙の道において、有限な人間理性が独断や狂信・迷信に陥ってしまわないためには、自分で自分の思考を制御するための規準が必要とされるからである。そしてそのような自己批判は、「自分の思考や判断はつねに誤りうる」という自覚を必須の前提とする。それは、コモン・センスの哲学者が信じる「真理の感覚」には為しえないことであろう。「学問的」であるためにも「道徳的」であるためにも、「自己批判的」であることが求められるのである。こうしてカントの「啓蒙」概念は、普遍的な規準に照らして自己の思考を吟味しうる人間理性の「自律」性、という信念によって支えられることになる。

†批判哲学の世界哲学史的な意義

これまでの検討からあきらかなように、カントの立場は徹底的な理性主義と普遍主義である。カントが理性主義を追求したのは、真理の探究や善悪の判断における知的自立と普遍的規準を求めてのことであったということは、これまでの考察で理解されるだろう。では、そのような普遍性をカントが求めるのはなぜだろうか。カントはその厳格な普遍主義を徹底するために、多くの困難な論証を引き受けねばならなかった。また、柔軟性や発展性に欠ける、多様性を均質化してしまう、個別性が十分に考慮されない、形式主義に過ぎて人間的な心情への配慮に欠ける、理性による体系化の暴力性、などの多くの異論を呼び込むことにもなった。

本稿の叙述がカントの関心と思索のほんの一面を捉えるものでしかないとはいえ、批判哲学が右のように指摘される側面を持つことは否めない。またこれらの否定的側面は、「世界哲学」

の多様性を捉え直そうとする本シリーズを通じてますます鮮明に浮かび上がり、批判されることになるだろう。しかし他方で、そうした困難を抱えることと引き替えにカントがもたらしたものは、現代においても重要な意味を持つ。その一例としてここで指摘しておきたいのは、カントの「尊厳」の概念である。カントは批判哲学を通じて、おそらく世界哲学史上初めて、すべての人間が等しく尊厳を持つということを、しかも神学的・宗教的な前提に依拠せずに、つまりどのような信条の持ち主であっても共有するべき命題として論証する、という革命的な企てに至りえた。そしてその企てはやがて、国際連合憲章や世界人権宣言における「尊厳」と「人権」に帰着し、日本国憲法の「個人の尊重」や「基本的人権」もその流れのなかにある。たしかにこの概念にも、その普遍性ゆえに空虚であるという異論がある。しかしだからと言って、この概念が国連憲章や人権宣言から削除され、その理念の追求が公然と取り下げられてしまってもよい、ということには決してならないのである。

以上のように、普遍的な真理と価値の可能性を求めて理性の批判的能力に信頼を寄せようとしたカントは、普遍性と合理性と批判的精神を旨とする古代ギリシア哲学以来の問題意識の正統な継承者であったと言える。しかもカントは、その普遍主義と理性主義の最も純粋な形を追求することによってこれを先鋭化し、そのことが西洋の哲学と学問論に、神学からの自立という意味における近代化をもたらした。世界哲学史の観点から見たその批判哲学の意義とは、多様な地域・時代の哲学を比較検討する際に参照されるべき、西洋近代哲学の基軸を示した、という点に求められるのではないだろうか。

さらに詳しく知るための参考文献

石川文康『カント入門』（ちくま新書、一九九五年）……本章では扱えなかった『判断力批判』をも含む批判哲学全体への明瞭簡潔な入門書。批判哲学の根本的な問題意識から「血の通ったカント」を説き起こしている。

有福孝岳・牧野英二編『カントを学ぶ人のために』（世界思想社、二〇一二年）……批判哲学の全容を、多様なテーマごとに詳しく解き明かす充実した入門書。論文集になっているので、必要なテーマだけピックアップして学ぶことができる。

マンフレッド・キューン『カント伝』（菅沢龍文・中澤武・山根雄一郎訳、春風社、二〇一七年）……最新の資料と研究に基づいた最善の伝記。大著だが、カントの人生と学術的交流に照らして思想内容が分かりやすく解説されており、入門書としてふさわしい。

加藤泰史「尊厳概念史の再構築に向けて――現代の論争からカントの尊厳概念を読み直す」（『思想』第一一一四号、岩波書店、二〇一七年・第二号）……カントの「尊厳」概念の革命性を概念史の考察からあきらかにしたうえで、カントがいかにして尊厳の普遍性を導き出すのか、またそれがいかなる現代的意義を持ちうるのかを詳しく論じる。

第8章　# イスラームの啓蒙思想

岡崎弘樹

1　「時代の精神」の中の啓蒙思想

†ルナンとアフガーニーの対話から

イスラームの啓蒙思想を語る上で、イラン出身の近代イスラーム思想家ジャマールッディーン・アフガーニー（一八三八／九〜一八九七）とフランスの東洋学者・文献学者エルネスト・ルナン（一八二三〜一八九二）との対話には注目せざるを得ない。一八八三年、ルナンはソルボンヌ大学で「イスラームと科学」という講演を行い、イスラームが本来の宗教からかけ離れ、文明の発展を阻害する要因となった過程を分析する。ルナンによれば、理性や懐疑精神を重んじる哲学は、ペルシアやアンダルスにおいて普及したものの、アラブ地域において哲学者は神学者と相容れない存在として異端視され、ときには死を宣告されてきた。一三世紀、さらにオスマン帝国の支配が強まって以降、イスラームは科学や哲学と対立し、教条主義や狂信を育む原因となったという。ルナンは、アフガーニーとの意見交換の中で、次のように断言する。「イスラーム諸国の再興はイスラームによってではなく、むしろ**イスラームを弱めることで**なされる。キリスト教徒の国々が、中世の教会の暴政的な権力を破壊することによって飛躍を成し遂げたのと同じように、だ」（傍点は岡崎。以下全て同様）。

これに対し、アフガーニーはルナンの進歩主義史観に共鳴しつつも、そもそも「あらゆる宗教はそれぞれの形で不寛容だ」と主張する。アフガーニーによれば、西欧社会が野蛮を脱却し、高度な文明を成し遂げたのはプロテスタンティズムにみられるような宗教改革、その後に続いた学知の蓄積や教育の賜物に他ならない。一方、ペルシアやアンダルスの学者もクルアーンの言語たるアラビア語を習得することで歴史に名を残す偉大な哲学者となったのであり、決してアラブの地域性に問題があるわけではない。かくしてアフガーニーは、次のように語る。「ムスリムの責任は全く明らかだ。いかなる場所においても学知を窒息させ、専制政治を支えるようになったことが問題なのだ」(Renan, E., « L'Islamisme et la Science », *Journal des Débats*, 30 mars 1883, 18, 19 mai 1883)。

アフガーニーは当時パリで『固き絆』というアラビア語の新聞を発行して、列強の植民地支配に対抗する上でのイスラーム諸国民の連帯を訴えていた。ルナンとの互いに敬意に満ちた対話が成立していることからして、アフガーニーが西洋近代を全面的に拒否したわけではないのは明らかだ。とはいえ、本質主義的、還元論的なイスラーム解釈、オーギュスト・コント流の世俗化と近代化を同一視した「実証科学」論、それにともなう諸文明の単線的な発展史観を受け入れることはできなかった。「アッラーは、自らを変えようとする人間だけをお変えになる」（一三―一一）。アフガーニーはクルアーンのこの章句を好んで引き合いに出すが、単純な護教論者としてではなく、むしろ理性や合理性、人間の尊厳を重んじた「啓蒙」された近代的人間の創造を企図していた。とりわけ知性的なエリートが率先して学知の普及や教育に努め、神学的知識やイスラーム哲学の方法を近代的生活の実践的課題に応用する中で、複線的な発展史観による「文明化」を実現することが「ムスリムの責任」というのである。

†さまざまな留意点

イスラームの「啓蒙」（タンウィール）思想を語る上でいくつかの留意点がある。「光を与える」（英語のEnlightenment、フランス語のLumière）という意味での「啓蒙」は、西欧では一八世紀の思想を一九世紀に入って顧みる際に遡及的に広く用いられたとされる。一方、アラブ地域においては、特に一九世紀初頭におけるナポレオンのエジプト侵攻後に同様の用いられ方をしたが、あくまで西欧近代思想を語る際に言及されたに過ぎなかった。たとえば、近代思想の祖リファーア・タフターウィー（一八〇一～一八七三）は、『パリ要約のための黄金の精錬』（一八三四年）において、フランスで宗教聖職者がまるで「光と知識に対する敵のように」扱われ、教会にしか活動の場が存在しないことに驚きを示した。ここで言う「光」とは、タフターウィーがエジプトに自ら広めようとする近代科学と想像されるが、彼自身が「啓蒙思想家」を自称したことはない。むしろ一九世紀のアラブ人思想家が総じて「文明化」や「教育」を重んじる中で、結果として西欧一八世紀の「啓蒙思想家」と似たような思考を育んだと言えるだろう。

また一九世紀から二〇世紀初頭のアラブ地域の思想は、「啓蒙」というよりはむしろ「ナフダ」（目覚め、復興、ルネサンスの意）の思想と長らく言われてきた。「ナフダ」は、もともとは一九世紀後半に現在のレバノンで起こった文芸復興運動を指して使われたが、やがてアラブ民族主義の目覚めの中でより幅広い地域と時代を網羅するようになった。個々の思想家が活躍した時代に若干のずれがあるものの、概してタフターウィーらがナフダ第一世代、ムハンマド・アブドゥ（一八四九～一九〇五）らが第二世代、ラシード・リダー（一八六五～一九三五）らが第三世代の代表的な論客とされている。

ナフダ時代においては、「イスラーム」も単なる神学的概念にとどまらず、当該地域の全域を覆う文化や文明、精神性、アイデンティティ、さらには歴史観として理解されていた。タフターウィーと同じく、レバノンのキリスト教マロン派出身のブトルス・ブスターニー（一八一九〜一八八三）は同地の宗教・宗派対立を乗り越えるべく、「祖国愛は信仰の一部」という預言者ムハンマドの言葉を引きながら、土地・言語・利益・習慣・血縁などの共通性によってつながる新たな共同体の創出を訴えた。一八七〇年代後半にカイロやアレクサンドリアで「精神的な師」たるアフガーニーの下に集結した者の中には、アディーブ・イスハーク（一八五六〜一八八四）などのシリアのキリスト教徒コミュニティ出身者が多く含まれていた。同じ出身のジョルジ・ザイダーン（一八六一〜一九一四）に至っては、イスラーム史上の歴史事件を扱った数々の歴史小説に加え、『イスラーム文明史』（全五巻、一九〇一〜一九〇六年）といった歴史研究書も残している。宗教・宗派を分断する壁が現在よりもはるかに低かった時代において、「啓蒙」思想家らは、たとえ固有の文化を背負っていたとしても、「敵」ともなり得るはずの西洋近代と真摯に対話し、寛容や多元性を重んじ、人間の普遍性を志向するという「時代の精神」を共有していた。

なお、本稿では紙幅の都合からして、イスラーム世界全体の啓蒙思想を網羅的に扱うのは不可能であることから、アラブ地域におけるナフダ第一世代と第二世代、その啓蒙派の後継者らに絞って考察する。それだけでも、本質的な流れをつかむことは可能だと考える。

2 「他者」を鑑として「自己」を知る

†「置き換え」と「共有感」

タフターウィーは一八二六年、ムハンマド・アリーの治世下にあったエジプトからフランスに留学生として派遣された。イスラーム聖職者という立場ではあったものの、留学中にシルヴェストル・ド・サシなど当時の東洋学者と交流する一方、コンディヤックやルソー、モンテスキュー、ヴォルテールといったフランス啓蒙思想家の著作に傾倒した。帰国後に留学の経緯やフランスの社会・経済事情についてまとめた著作が、『パリ要約のための黄金の精錬』である。留学中に七月革命を目撃したタフターウィーは、同著で一八一四年憲章（一八三〇年に一部修正）を紹介しつつ、君主の恣意的な権力を制限するための三権分立や立憲制、言論や報道、出版の自由などに言及する。その上でタフターウィーは、「フランス人が自由と名付け、希求しているものは、我々が公正や平等と呼んでいるものに相当する。自由の支配とは、規則や法律における平等性の確保を意味する」との見解を示す（Al-Ṭahṭāwī, R., *Takhalīṣ al-ibrīz fī talkhīṣ bārīz*, Hindawi, 2012, p. 113)。

「自由」という概念は、アラブ・イスラームの思想的伝統において人格・倫理面での「高貴さ」や古代ギリシアに遡る「奴隷ではない状態」という意味で用いられてきた。だが、形而上的な意味での自由意志については「選択」や「自己決定の力」といった言葉で説明されてきた。むしろ汎用されていたのは、「自由」ではなく、「公正」ならびに「正義」を意味するアドルという概念であった。クルアーンは、「人々を憎むあまりに正義の道を踏み外してはならぬ。常に公正であれ」（五―八）として、諸事に対して均衡を保った態度をとるよう促している。それは、アッラーの性質であるだけでなく、信仰深きムスリムが身につけるべき特質でもあった。

またタフターウィーは、フランス人とアラブ人が言葉への信頼や祖国愛、倫理観の向上を追求する精神を共有していることを強調する。「誇らしくも、フランス人とアラブ人は共通項を持っている。それは勇敢さであり、真実の率直な表明であり、またモラルの完成といった特徴だ」。さらに自由に関しても、「フランス人が追求した価値であるが……アラブ人のかつての特質であった」（Ibid., p. 300）とまで言い切る。

フランスという「他者」との出会いによって、イスラームを背負ってきた自画像を見つめ直しながら、互いの共通項を素朴なまでに引き出そうとする。後に書かれた教育論（『少年少女のための信頼できる手引き』一八七二年）においても「置き換え」の論理を次のように展開している。

文明国は理性を通じてこれらすべての原理原則に到達し、法と文明の基礎とした。それは、人間の活動について語るイスラーム法のさまざまな規定を支える原理原則からほとんど逸脱していない。われわれが「イスラーム法の原則」と呼ぶものは、彼らが「自然権」や「自然法」と呼ぶものだ。それは何を受け入れるのか、拒否するのかについて市民法の基礎となる合理的な原理原則のことだ。われわれが「公正」と「美徳」と呼ぶものを、彼らは「自由」や「平等」と呼んでいる。ムスリムが「信仰の愛と遵守」と呼ぶものを、彼らは「愛国心」と呼ぶ。イスラームにおける愛国心は信仰の一部であり、信仰の遵守は主たる義務である(Al-Ṭahṭāwī, *Al-Murshid al-amīn fī tarbiyat al-banāt wa al-banīn*, Dār al-kitāb al-miṣrī al-lubnānī, 2012, p. 267)。

レバノンのブスターニーも含めたナフダ第一世代は、西欧啓蒙思想の基本概念の多くを、アラブ・イスラーム地域の伝統的な言葉で把握しようと努めた。ハイルッディーンはチュニジアとオスマン帝国の宰相を務めるほど政治に直接関わった人物であったが、『ムスリムの国々に必要な改革』(一八六七年)を執筆し、近代民主主義に関係するさまざまな概念をイスラームの伝統に即して説明した。たとえば第二代正統カリフたるオマルが「自分の為政が逸脱したら修正してもらいたい」と述べた際に、従者の一人が「アッラーに誓って剣を持って正しくします」と応えた逸話がある。ハイルッディーンはこの故事を引きながら、為政者の恣意的権力を統制する議会制や政治ジャーナリズムの原型が、自分たちの歴史にも存在すると主張する。

さらに中世の社会学者イブン・ハルドゥーンによって「無秩序を抑える王権」とされた「抑制力」という概念を、逆に君主の権力を制限するための対抗権力と近代的に読み替えた。つまり、イスラームの伝統の中に「抑制力を抑制する権力」が「解き結ぶ人々」（名士→議員）や「シューラー」（協議→議会）という形で存在するとして、自ら敬愛するモンテスキューと同じような「制限政体」論を展開した。そして即座に適用することは難しいとしても、責任ある政府や法の支配、報道の自由を欧州の政治制度から学び受け入れるべきだというのである（Khayr ed-Din, *Essai sur les réformes nécessaires aux États musulmans*, Édisud, 1987, 特に pp. 97–106 を参照）。

†「置き換え」の限界

しかし、「置き換え」はあくまで「置き換え」に過ぎない。最も矛盾が生じたのは、フランス啓蒙思想が近代的な自然権的発想に基づき、自由や平等といった諸価値をそれ自体として希求する「権利の体系」であったのに対し、イスラームが「神の秩序」を大前提とする宗教的規範を法源とした「義務の体系」であったという点である。シャリーア（イスラーム法）に照らせば、「義務」、「推奨」、「許可」、「忌避」、「禁忌」という五段階規定のいずれであれ、「認められるか、否か」が焦点となる。タフターウィーがいくら自然権的発想を信奉しようとも「いかなる人間であっても生まれながらにして権利を持つ」という発想をあらゆる社会的、政治的次元に適用することは困難である。それは、タフターウィーが五つに分類した自由観にも顕著である。

タフターウィーによれば、第一の「自然的自由」とは、飲食、歩行などを含めた自然的存在としての自由であり、第二の「行動的自由」とは、良識、倫理、理性に基づいた上での行動の自由であるという。ここまでは自然権的な発想と大差ない。ところが、第三の「宗教的自由」とは、宗教の原則を逸れないという条件の下での信仰や宗派を選ぶ自由であり、第四の「市民的自由」とはシャリーアに抵触しないという条件の下で市民同士が権利を行使するために相互扶助する自由だという。さらに第五の「政治的自由」となると、臣民の正当な資産や自然的自由を保障する「国家の自由」と定義され、「市民の自由」は無視される（Al-Ṭahṭāwī, *Al-Murshid al-amīn ...*, pp. 273-277）。タフターウィーは三権分立論についても、エジプトにおいて立法権と裁判権、行政権は「法の条件の下で王権として統一される」との立場を示す。この意味では、あくまで「人民主権」ではなく、「神の主権」や「王の主権」という枠組みの中で、「自由」を語っていたことになる。

またハイルッディーンも、イスラーム世界において自由や進歩を阻んでいるのは、何よりも

「支配者の資質」であるとして国家主義的立場を次のように示す。

実際のところ、ムスリムの国々において今日まで改革の導入と漸進的な発展、政治・行政面での完全なる制度の確立を妨げている原因は、自由や進歩を元来奨励しているはずのクルアーンの章句にあるわけでも、専制政治を否応なしに支えている一般民衆の無力さや無知にあるわけでもない。それはむしろ、君主や政治家の無頓着さにある。それ故に、政治的、国家的な課題なのだ（Khayr ed-Din, *Essai sur les réformes nécessaires* ..., p. 142）。

「善き王」の待望は、中世の哲学者ファーラービーの「有徳都市論」に代表される伝統的な理想主義的国家論の焼き直しであったと言えるだろうが、植民地支配がアルジェリアやチュニジア、エジプトへと次々と拡大する中で、卓越した指導者による断固たる内政改革が切実に求められていたという背景もあった。無能な指導者の下で無秩序が蔓延すれば、「外国勢力がオスマン帝国の内政に干渉し、国益に反する政治をもたらす上での格好の口実を与える」（Ibid., p. 116）と、ハイルッディーンは懸念を露わにする。一九世紀末のアラブ・イスラーム世界が置かれたかかる歴史的文脈は、来る世代においていっそう鮮明に意識されることになる。

3 ナフダ第二世代における実践的な応答

†新たな政治状況と「公共圏」の確立

一八七〇年代後半にアラブの言論界を担い始めたナフダ第二世代は、新たな政治状況に直面した。オスマン帝国中央政府やエジプトにて議会制の導入が図られる中で、市民的そして政治的自由の観念が広まった。だが同時に、多くの思想家が専制権力だけでなく植民地主義権力との直接的な対決を迫られ、敗北と占領、国外追放を経験した。西洋近代が「対話」と同時に「対決」の相手として現れた以上、安易な「共有感」を表明することはできない時代に突入していた。前世代のような「置き換え」だけでは、現実を説明し、将来への思想的展望を開くにはもはや不十分だった。

思想家らが新たに直面した諸課題に対し、助け舟となったのが政治ジャーナリズムの発展であった。率先的な役割を担ったのが、アフガーニーの下に集(つど)ったシリアのキリスト教徒コミュニティの出身者である。今日まで続くエジプトの代表的新聞『アフラーム』紙は、当時シリア出身のタクラー兄弟によって設立された。西欧啓蒙思想の受容という意味では、アディーブ・

イスハークの存在も見逃せない。イスハークはルソーやモンテスキューの原書と格闘しながら、「公正」と「抑圧」（ズルム）といった伝統的な対義語に代えて、自由と専制主義という近代政治用語を用いて理路整然とした論理を展開した。『三酔人経綸問答』（中江兆民）の洋学紳士を思わせるイスハークのような論客と切磋琢磨しながら、後に「イスラーム改革派」と呼ばれる論者は、新たな「公共圏」の形成に貢献した。イスラーム世界を縦横無尽に横断した師アフガーニーの活躍もあり、オスマン帝国やペルシア、インドを含めた域内の思想交流も活発化した。こうした中でアラブのイスラーム思想家は、伝統的な認識体系を引きずりながらも「時代の精神」を共有しつつ、個人差を伴いながらも「モダニスト」として一皮剝けた議論を展開するようになる。その代表格こそ、ムハンマド・アブドゥであった。

†ムハンマド・アブドゥにおける「啓示と理性の調和」

アブドゥの遍歴は豊かである。もともとはアフガーニー・サークルの一員であったが、ウラービー革命時代には官報の編集長を担い、エジプトの世論形成に大きく貢献した。革命頓挫後は、英国当局による収監後に国外追放となる。亡命先のパリではアフガーニーと『固き絆』の発行を手掛けてイスラーム諸国民の連帯を訴えた。八八年頃にエジプトへの帰国を認められてからは地方判事や控訴院大法官、アズハル運営委員会政府側委員、さらには最高ムフティー、立法会議議員などと立法・宗教界で要職に就いた。その一方で、イスラーム慈善協会といった市民的な活動にも関わる傍ら、著述を通して独自の神学論や教育論、漸進主義的な社会改革論を展開した。

アブドゥの思想は、「啓示と理性の調和」という点で一貫している。アズハル大学の学生時代に優秀な成績を収めながらも、保守的な教師からは評価されなかったというエピソードに示されるように、アブドゥは「踏襲的な知識」をそのまま鵜呑みすることを断固として拒否する。クルアーンやハディースといった信仰上の経典であれ、神学あるいは哲学的なテキストであれ、シャリーアとされる教義が合理的な思考と矛盾するのであれば、「理性」と合致するまで解釈する努力（イジュティハード）を続けなければならない。アブドゥは、「踏襲」の奴隷状態から、あらゆる権威への盲目的な服従から人間を解放するための「勇気」が必要だと力説した。

アブドゥは踏襲的知識を批判的に解釈する中で、アシュアリー派の思想に深く共鳴する。アッバース朝時代にギリシア哲学やヘレニズム文化に感化され極端な合理主義を掲げたムウタズィラ派でもなく、それに反して民衆の素朴な信仰心を重んじクルアーンとスンナの墨守を主張したハンバル派でもない。双方の中道を歩んだアシュアリー派によれば、人間はアッラーによって創造されながらも、同時に自らの行為を「選択」し、創り出す「自己決定する力」も与えられている。かくして人間は意志によって、善悪を区別し、幸福への手段を「獲得」し、行為主体としての責任を全うすることが可能となる。このように考えるアブドゥにとって重要なのは、伝統的テキストを現実に当てはめるのではなく、むしろテキストの内意を、時代と社会の要請に応じて再発見することである。その意味であらゆる知識は、近代的生活の諸課題に適用できるのか、すなわち有用か否かといったプラグマティズムが求められる。

こうした考えは、『統一のメッセージ』（一八九七年）や『科学と文明に対するイスラームとキリスト教の関わり』（一九〇二年）、『クルアーン注釈』（一九〇五年没後に出版）といった代表作において十全に示されている。さらにアブドゥは、社会や政治に関わる考察をも深めていく。たとえばカリフをめぐる論争において、アブドゥは、「イスラームにおいて本来宗教的権威は存在しない」と断言する。そもそもカリフは預言者でもなければ、イスラームの教義を独占的に解釈する権限を有してはいない。求められる卓越した学識や高い倫理性、能力を満たさない人物であるならば、共同体の構成員によって罷免することも可能である。それ故にカリフは、市民によって統制された存在であり、欧州史における「神権政治」と同一視することはできないという（'Abduh, M., *Al-A 'māl al-kāmila*, Dār al-shurūq, 2006, Vol. III, pp. 309-311）。

理性的な思考に基づけば、観察や実験、証明といった論理的、科学的方法を通じて一般的な原則や法則を導き出すことも可能である。この「原理原則」（スナン：ムスリムが守るべき「慣行」を意味するスンナの複数形）には、西欧近代の思想家が各々の形で到達したものであったとしても、決してムスリムも各々の方法で到達できないというわけではない。一九世紀末のアラブ世界では、シリア人思想家によってダーウィニズムに関わる思想が多々紹介されたことに加え、「文明国」による植民地化によって民族存亡の危機が深刻化した。「生存競争」や「自然選択」をはじめとする生物進化論あるいは社会進化論的な考え方がある種の切実な実感をともないながら広まり、当初「不信心者の思想」として全面的に拒否される向きもあった。ところが弟子が伝えるところによれば、アブドゥは、「もしアッラーが人間をお互いに牽制し合うように仕向けなかったら、この地上は腐敗しきっていただろう」（二―二五一）というクルアーンの章句に同様の考え方が示されているとして、イスラームの教義と矛盾しないという立場を示したという（*Al-Manār*, Vol. 8, p. 929-930）。

アブドゥはウラービー革命の時代から社会の権力構造について鋭い分析を行ってきたが、帰国後にもムハンマド・アリー朝の専制構造について、次のような一般原理を導き出す。

政府の職員や行政の役人は、略奪と収奪の連なりを具現化した存在であった。この連なりは、強大なグループから弱小なグループに至るまで段階的に抑圧を広め、最終的に惨めな農民にまで達する。農民は首根っこをつかまれ、泥につかり、血と涙と額の汗をにじませながら、役人が求める大地の金塊［国富］をせっせと採掘する。この金塊は弱小なグループから強大なグループへと徐々に運ばれ、最終的に連なりの末端に至るまで掌握している支配者の手に渡されるのだ。('Abduh, *Al-A 'māl al-kāmila,* Vol. I, p. 764)

アラブ・イスラーム世界には、ギリシア哲学の受容以来、ネオ・プラトン主義の思想的伝統が色濃くみられた。第一原因かつ第一存在かつ第一知性とみなされるアッラーから、第二知性と第一天圏、第三知性と第二天圏、月圏層、経験的世界、人間的知性が段階的、階層的に流出するという宇宙観(コスモロジー)である。アブドゥの考察が興味深いのは、このネオ・プラトン主義的な思考法を、政治学的、社会学的構造の分析に応用しているように思われる点である。権力や権威が、至高の権力者からあらゆる中間層を経て、農民層をはじめとする民衆の次元にまで流出、すなわち敷衍するという認識を示すことで、結果として日本の政治学者の丸山眞男が語ったような「抑圧移譲の論理」を別の形で説明している。

啓示と理性が調和すれば、「寛容」の精神を育むことも可能である。アフガーニーは「狂信」を意味してきたアラビア語の「タアッスブ」という言葉が「紐帯」を意味する「アスブ」を語根としており、イスラーム世界の連帯を喚起しているという解釈を引き出して、西洋との対決姿勢をいっそう露わにした。これに対し、パリ時代以来再び師に会うことのなかったアブドゥは、いわゆる「不信心者」と安易なレッテルを貼ることを認めないのがイスラーム大原則だとして、より柔軟性をともなったイジュティハードを示す。「たとえ一〇〇の側面において不信心者とされても、もし一つの側面に信仰心を認めるのならば、その人間は信仰を有している。決して彼を不信心者と非難してはならない」('Abduh, *Al-A 'māl al-kāmila*, Vol. III, p. 304)。

つまるところ、アブドゥは、世俗と宗教の完全分離が不可能と自ら考える社会において、イスラームを「統一された人間」、すなわち信仰と近代的生活によって内面が引き裂かれることのない新しい精神を生み出す糧とすべきだと力説する。それは、閉塞的、自己完結的な宗教知にとどまらず、より現実の世界や時代の要請との関係を取り結ぶような開放性や寛容性を伴った精神とも言えるだろう。この意味で、アブドゥのイスラーム思想は極めて「啓蒙的」であったと言える。

「統一された人間」を理念として追求する上で、アブドゥは世界から多くを学んだ。四〇歳を過ぎて本格的にフランス語を習得すべく、アレクサンドル・デュマの小説を丸暗記したエピソードは有名であるが、書庫にはイスラーム思想史上の数々の著作に加え、ルソーの『エミール』やカントの『純粋理性批判』、スペンサーの『教育論』、さらにはトルストイの『戦争と平和』なども並んでいた。アブドゥは、トルストイに宛てた手紙においては次のように賛辞を送っている。「あなたの言葉は知性の導きであり、あなたの作品は決意と関心の喚起であり、あなたの見識は迷える者への光であり、あなたの後ろ姿は探求者への模範であり、あなたの存在は富者への神の警告と同時に貧者への配慮である」（ʻAbduh, *Al-Aʻmāl al-kāmila*, Vol. II, p. 361）。このように当時のエジプトの最高位にあったイスラーム導師は、普遍的なヒューマニズムを世界文学から学ぼうとする姿勢をも貫いた。

4　第三世代における啓蒙派とその継承者たち

†啓蒙派と伝統回帰派との分裂

アブドゥの思想がさまざまな限界を抱えていたことは疑いない。確かに「三権統一論」を唱えたタフターウィー、東洋諸国における「民族の自由」を最優先したアフガーニーと比べると、アブドゥはいっそうリベラルな思想を育んだと言える。とはいえ、ウラービー革命を後にふり返った際には、当時のエジプト人は民衆も支配者も皆「自由を擁護する全面的な用意があるとまで思い込んだ」（ʻAbduh, *Al-Aʻmāl al-kāmila*, Vol. I, pp. 768-767）として、とりわけ政治的な意味での「自由」についてはいささか及び腰であった。

しかし、アブドゥの思想に共鳴するイスラーム改革派の論者の中には、自由の価値をいっそう擁護する者も現れた。アレッポ出身のアブドゥルラフマーン・カワーキビー（一八五五～一九〇二）は、オスマン帝国のアブデュルハミト専制体制下であからさまな抑圧に晒される中で『専制の性質』（一九〇二年）を執筆し、「個々人の自由」と「政治的な自由」の相互依存性を次のように語る。

専制主義的な人々は専制者によって支配され、自由な人々は自由な者によって支配されている。「あなたが囚われている人物のようにあなた自身がなっている」ということは明らかだ。最も望ましいのは、このような地に囚われし者がそこから解き放たれ、自由を得ることだ（Al-Kawākibī, ʻA. R., *Al-Aʻmāl al-kāmila*, Markaz dirāsāt al-waḥda al-ʻarabiyya, 1995, pp. 441–442）。

カワーキビーのみるところ、専制政治は宗教ではなく、むしろ悪しき「慣習」の産物である。抑圧的な統治のあり方であれ、民衆の脳裏に巣食う思考様式であれ、慣習は宗教から自律した存在であり、それ自体の改革が求められる。長らく不問に付されてきた女性の隷属状態も然りである。カーシム・アミーン（一八六三～一九〇八）は『女性の解放』（一八九九年）の中で、ヒジャーブ（ムスリム女性が顔を覆うスカーフ）の問題に関して、何よりも宗教と慣習を区別する必要性を説く。

現在存在するヒジャーブは我々に独自のものではなく、ムスリムが使用し始めたものでもない。むしろほとんど全ての国に存在したお馴染みの習慣であり、社会の要請に応じて、またその発展の流れの中で自然に消えていったものだ。この重要な問題は、宗教的見地とともに社会的見地から調べる必要がある。(Amīn, Q., *Al-A'māl al-kāmila*, Dār al-shurūq, 1989, p. 351)

理性的な思考によって慣習や伝統を宗教的見地から切り離し、歴史的、社会的な文脈の中で読み解こうとする姿勢は、アリー・アブドゥルラージク(一八八八〜一九六六)の『イスラームと統治の基礎』(一九二五年)やタハー・フサイン(一八八九〜一九七三)の『ジャーヒリーヤ時代の詩について』(一九二六年)などにも受け継がれていく。とはいえ、特に一九一〇年代以降、植民地主義による直接的な支配が強まる中で、理性よりも啓示に偏重し、神学テキストの「厳密な解釈」を求める回帰主義的思考もみられはじめる。ラシード・リダー(一八六五〜一九三五)は、『カリフ、あるいは偉大なイマーム』(一九二二年に『マナール』誌に初掲載)において、イジュティハードを率先する伝統的カリフの復活を訴えた。こうした思考がやがてムスリム同胞団創始者のハサン・バンナー(一九〇六〜一九四九)やその理論的支柱となったサイイド・クトゥブ(一九〇六〜一九六六)などに引き継がれていく。

かくして西洋近代は物質主義や享楽主義として十把一絡げに否定される一方で、ジハードは甘美な自死、ときには暴力行為と結びつけられた。イスラーム思想史における「啓蒙」時代は、もはや終わりを告げたとみられていた。

†再解釈されるイスラームの「啓蒙」思想

ところが一九九〇年代に入り、エジプトやシリアを中心にイスラームの啓蒙思想が再び脚光を浴び始めた。それは、一方では民族主義時代の「行き過ぎた世俗主義」への反省から、他方では人々に多大な影響力を及ぼしてきた急進的なイスラーム主義に対抗する上での「開けた知性」として解釈されてきた。依然として市民社会と国家の健全な均衡を果たし得ない中で、政治・社会改革に向けた国民的「共通基盤」を確認する意味合いもあった。こうした文脈の中で、アブドゥらが活躍した一九世紀から二〇世紀初頭が、「ナフダ」であると同時に「啓蒙」思想の時代と強調されるようになった。

社会の発展のためにイスラームを弱めるのか、あるいは強めるのかといったルナンのような問題提起は、さして重要ではない。むしろ現代の思想家にとって切実な課題は、西洋と真摯に対話し、内在的に理解しようとする姿勢を貫きつつも、同時に世俗と宗教が分かちがたく結びついている自らの社会において固有の伝統や精神構造を基盤とした改革の方法を実践的に編みだすことである。その意味で「他者」を鑑として「自己」の刷新を求め続けたイスラーム啓蒙思想は、新たな普遍性を探ろうとする現代の継承者にとって、絶えず顧みられる文化の源泉であり続けている。

さらに詳しく知るための参考文献

ライラ・アハメド『イスラームにおける女性とジェンダー――近代論争の歴史的根源』(林正雄ほか訳、法政大学出版局、二〇〇〇年)……特に第八章「ヴェールに関する言説」において、カーシム・アミーンの『女性の解放』が紹介されるとともに、同時代や後世の世論に与えた影響についても詳述している。

飯塚正人『現代イスラーム思想の源流(世界史リブレット)』(山川出版社、二〇〇八年)……「真のイスラーム」をめぐる諸潮流の歴史を概括的に示すとともに、本稿で登場した各論者の思想を網羅的に扱っている。

松本弘『ムハンマド・アブドゥフ――イスラームの改革者(世界史リブレット 人)』(山川出版社、二〇一六年)……「啓示と理性の調和」を求め続けたアブドゥの生涯や改革思想の全体像を知る上で格好のテキストである。

歴史学研究会編『世界史史料8――帝国主義と各地の抵抗I 南アジア・中東・アフリカ』(岩波書店、二〇〇九年)……特に第二章において一九世紀のオスマン帝国やアラブ地域、ペルシア、アフガニスタンといった広範囲にわたる地域に関して民族・宗教思想を含めた一次資料の邦訳と解説が豊富に収録されている。

第9章

中国における感情の哲学

石井　剛

1 「中国のルネサンス」

†「情動論的転回」の時代に

この原稿を書いている今、新型コロナウイルス感染症（COVID-19）が猛威を奮っている。目に見えない病原体が知らず知らずのうちに拡散される伝染病、そしてそれが治療方法の確立していない新しい疾病であることは、人々を不安にさせずにはおかない。ソーシャルメディアにあふれる情報は、伝統的なマスメディアが伝えない真実こそがそこにあると信じる人たちによって拡散され、真贋を見きわめるいとまもないままに拡散されていく。こうした状況の中で重要なことは、冷静になること、科学的な根拠に立脚することであり、その上で「正しく恐れる」ことなのだと言われる。「正しく恐れる」とは、つまり、客観的根拠や科学的な知見に基づきながら、恐怖の感情をなだめ、理性的に対処しようということだろう。

そう、感情は時に暴走し、だからこそ理性によってコントロールされなければならない。理性こそが大切なのだ。わたしたちはそう思って生活している。だが、心の哲学を研究する信原幸弘は、わたしたちがふつう抱いている感情と理性の関係に対する認識を変えようと提案する。つまり、理性のほうがだいじでかつ正しいと考えるのでなく、むしろ理性は感情を補佐するにすぎないと考えるべきだというのだ。

近年、「情動論的転回」ということばが聞かれるようになってきた。理性と感情の二元化は、近代的科学技術を支えると共に自然主義のような潮流も生み、個人の内面の自由と「自然」とが結びつきながら、科学的理性とは対極だが一対の価値として称揚されながら、近代的個人主義を支えてきた。人工知能（AI）のような二一世紀の新しいテクノロジーの時代においては、人間の意識、とりわけ生活を楽しむ際の愉悦や他者に対する愛着などの感覚などについて、もう一度、啓蒙の時代に淵源する理性／感情関係とは異なったところでとらえなおす必要があるということなのだろう。信原の関心もそうした動向に呼応しているようである。

信原によると、情動（信原は感情でなくこう呼ぶ）はわたしたちが長い時間をかけて鍛錬していくべきものであり、その過程で次第に誤ることを避けられるようになる。そうして鍛えられた情動能力こそが、わたしたちの人生の幸福のために最も重要なものであり、情動を鍛えるのが理性の役割だと信原は言う。

情動能力の鍛錬には相当な時間が必要である。私たちは状況の価値的なあり方に相応しくない情動が自分の情動能力によって生み出されるたびごとに、その情動を理性によって制御するということを何度も繰り返して、次第に情動能力を改善し、ついにはほぼ適切な情動だけを生み出せるような情動能力を獲得できるのである。（信原幸弘『情動の哲学入門』勁草書房、二〇一七年、vii～viii頁）

わたしはこの部分を読んで思わず（感情的に）膝を打った。なぜなら、ここで言われていることはそのまま、中国哲学で論じられてきたことに通じるからだ。信原は直前で孔子の有名なことば「七十にして心の欲する所に従えども矩（のり）を踰（こ）えず」（『論語』為政）を引用するが、それが著者の主張に共鳴したのは偶然ではないとわたしには思われる。

†惻隠の心

わたしたちの出発点は、戦国時代の哲学者孟子（前三七二頃～前二八九頃）の思想を反映した書物『孟子』に出てくる次のような議論だ。

いま子どもが井戸に落ちそうになっているのに出くわしたとしよう。そうすると誰もが驚き慌てて惻隠の心をおこすだろう。それは子どもの両親と仲がよいからでもないし、地域の友人に賛美されたいからでもないし、自分の名声に傷がつくのを嫌うからでもない。(『孟子』公孫丑上)

「惻隠の心」というのは、井戸に落ちそうになった子どもを見た瞬間、心に湧き起こる憐れみの感情である。まるでそれは、ルソー(一七一二〜一七七八)が憐れみの情と呼んだ「あらゆる反省に先立つ、自然の純粋な衝動」を思わせる(『人間不平等起原論』本田喜代治・平岡昇訳、岩波書店、一九三三年、七二頁)。孟子は、惻隠の心は誰にでも備わっている善なる本質の端緒なのだという。井戸に落ちそうになった子どもを見かけると、だれでも「自然」に憐れみの気持ちを「衝動」的に覚える。それは、家族や地域のような所属コミュニティにおける道徳に照らして「反省」的に判断したものではなく、瞬時に湧き起こった気持ちなのだ。これは誰もが持つ「忍びざる心」であり、まるで手足のように誰もが生来持っているもので、泉の水がやがて大海に至るように、拡充してやがて「仁」、すなわち中国哲学の道徳観念において最も善なるものの境地に達する。

しかし、危機に遭遇した子どもを見た時にとっさに起こる感情は、いったいどうやって、善の境地にまで高まるというのだろう。わたしたちは実は、その時その時の状況に応じて、合理的な根拠のあるなしにかかわらず感情的に自らの行動を決定することで理性から逸脱し、過ちを起こすのではないか。感情の過ちが途方もない悪を呼び寄せることに対する警戒は、コロナウイルスが猛威を奮ういままさに怠ることができないものだ。しかるに、衝動に駆られて感情的に行動を起こすのは理性からの逸脱であるどころか、善のきっかけだと孟子は言うのである。

†中国における「感情の哲学」の誕生

以下では、『孟子』が中国哲学でどのように論じられたのかを振り返ってみたい。特に注目したいのは、『孟子』の解釈によって、中国における感情の哲学を近代に向けて解き放ったと目される哲学者だ。「文字獄」と呼ばれる苛烈な言論統制で有名な清代の雍正(ようせい)年間に生まれた安徽省(あんきしょう)の人、戴震(たいしん)(一七二四〜一七七七)その人である。二〇世紀の前半、梁啓超(りょうけいちょう)(一八七三〜一九二九)は、戴震の哲学の登場によって、中国哲学史は「理性の哲学」の時代から「感情の哲学」へと変わったと評価した。この転換は、あたかもヨーロッパのルネサンス運動がキリスト教の絶対禁欲主義に代わって「ギリシャの感情主義」を掲げることで人間解放を果たしたのと同様の文明転換であると彼は述べている(『清代学術概論』、『飲氷室合集』専集之三四、中華書局、一九

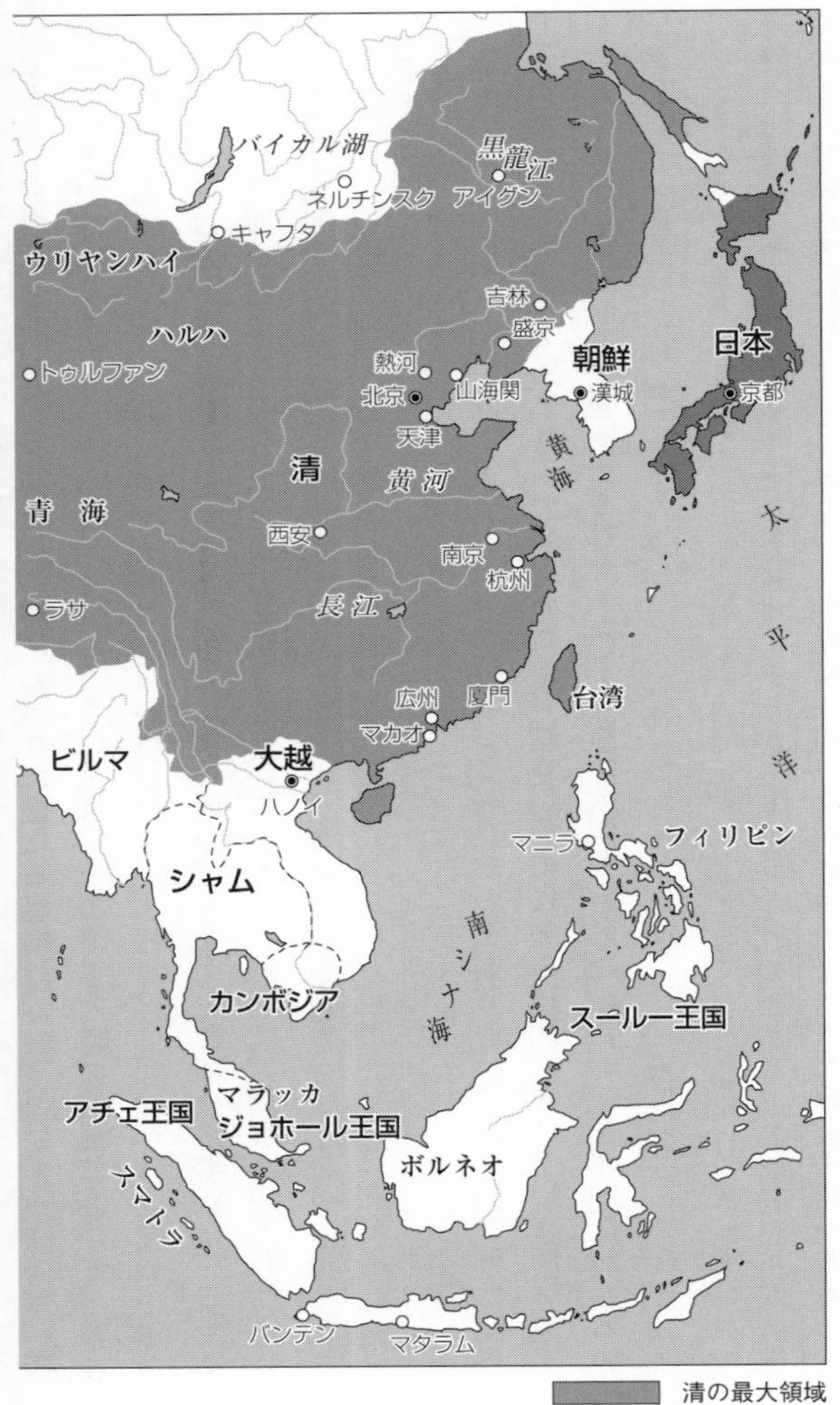

バイカル湖
黒龍江
ネルチンスク
アイグン
キャフタ
ウリヤンハイ
吉林
盛京
ハルハ
朝鮮
日本
熱河
トゥルファン
北京
山海関
漢城
京都
天津
黄海
清
黄河
青海
西安
太平洋
南京
杭州
長江
ラサ
台湾
広州
廈門
マカオ
ビルマ
大越
ハノイ
マニラ
フィリピン
シャム
南シナ海
カンボジア
スールー王国
マラッカ
アチェ王国
ジョホール王国
ボルネオ
スマトラ
バンテン
マタラム
清の最大領域

ロシア帝国
黒海
カスピ海
ヒヴァ・ハーン国
ヒヴァ
カザフ
バルハシ湖
ジュンガル
イリ
ウルムチ
オスマン帝国
ブハラ・ハーン国
ブハラ
カシュガル
ヤルカンド
新疆
アフシャール朝
ドゥッラーニー朝
チベット
ペルシア湾
ザンド朝
ムガル帝国
デリー
ネパール
ブータン
マラーター同盟
アラビア海
ベンガル湾
マイソール王国
インド洋

アジア（18 世紀）

八八年、三〇〜三一頁)。戴震のこの「感情の哲学」が表現されているのは、『孟子』に現れる諸概念に対する訓釈を行った晩年の著作『孟子字義疏証』である。いったい、その中で戴震は何を述べたのだろうか。

「理」と「欲」をきびしく二つに分けて、欲に任せず自分を律するのが理であり、人の上に立つ場合にも同様にするのが理であるということになっているので、飢え凍えて愁い怨んだり、飲み食いや男女の欲を抱いたり、当たり前の感情や言いにくい気持ちは、みな人欲というどうでもよいものであるとみなされている。「天理こそが重要で公共の正義なのだ」というわけだが、ことばは立派でもそう言って人の上に立てば、人に害を及ぼすことになる。
(『孟子字義疏証』巻下「権」、『戴震全書』六、二一七頁)

雍正帝の厳しい政治弾圧だけではない。「飢え死には大したことではない、節操を失うことこそが一大事なのだ(餓死事小、失節事大)」という朱子学の教えが人々の心を支配していた当時の中国では、その過剰な道徳主義によって立場の弱い人々ほど苦しんでいた。そこでは、道徳の正しさが「理」であり、欲(ほしいままの感情)に任せてそこから逸脱することは厳しく断罪された。だが、と戴震は問う。理はそもそも感情と相反するものだったのだろうか。理とは、人間の感情から離れたところに超然としてあるものではなく、感情の上に立脚することで初めて成り立つものなのだ、と彼は言う。

「理」は「情」がつりあうところだ。情が得られてはじめて理が得られるのである。（中略）天理というのは自然の分理のことを言っている。自然の分理とは、自分の情に照らして人の情を推し量った結果、バランスを得ることをいう。（同巻上「理」一五二頁）

戴震は、理と人の感情を相容れないもの同士であるとはみなさなかった。そうではなく、各人の情が互いに推し量り合ってうまくバランスが取れているところが理なのだと主張したのである。それは、当時の社会にあっては、誰もが同じ情を持っているはずであるのに、実際には身分の上下関係に阻まれて、人々の自然な情が認められていなかったからだ。誰もが持っている欲望、誰もが持っている感情、それらの自然な発露にこそ理の基準が求められることで、初めて人々は安心して生活できるはずだ。しかし、戴震が生きていた時代にはそうでなかった。理の基準は権力をほしいままに専横する酷吏が法を振りかざす。しかも、時の権力者が自らの恣意的な決断を理であると言いくるめられるように、御用学者は、理を本来の意味から切り離してしまっているのだ。「法によって死んだ人には同情する者もまだいるが、理によって死んでしまえば誰も憐れむことはない」（同上、一六二頁）。なぜなら、理は結局のところ上位の身分を持つ者が道徳の名でそれを振りかざすからだと戴震は憤りを露わに主張する。古学ではそうでなかったのに、理が道徳教条の権柄に成り下がってしまったのは宋代以来の学問のせいだと戴震はいう。

集大成者の朱熹（一一三〇～一二〇〇）の名に因んで日本では朱子学と呼ばれる宋代の理学は、その名が示すとおり、「理」という概念を世界の根本概念にまで押し上げて重要視した。朱熹は事物や現象が「そうである所以」（所以然）と、それらの本来「そうあるべきありかた」（所当然）の双方を共に理の名で呼んだ。感情の横溢は「そうあるべき」理からの逸脱であるという考え方がここから派生する。戴震は、理がこうして道徳の基準としてひとり歩きするようになった結果、時の為政者や権力者が支配の方便として「天理」を振りかざすようになったとみた。そこで彼は、理を訓詁学的に再定義する。理とは「細かいところまで観察して分けたところの概念」であるから「分理」であり、分類して規則正しく筋が通っているので「条理」でもある。つまり、理とは規則正しい法則のような条理性のことを言っているのであり、それが人倫においては、人と人の情のバランスとして現れる。そう戴震は考えた。

梁啓超は、この戴震の理に対する解釈を、理性と感情という二元論構図という西洋近代の啓蒙主義の言説に引きつけながら、戴震の哲学こそは、中国における感情の哲学の生成であり、しかもそれは近代哲学の幕開けであると位置づけたのである。もちろん、ルソーだけでなく、アダム・スミス（一七二三〜一七九〇）やカント（一七二四〜一八〇四）も戴震と同じ時代を生きていたことを知った上での評価であった。

2 性と情をめぐる中国哲学の議論

†朱熹から王陽明まで

理と欲を厳しく弁別して後者のみを悪であるとする思想は『孟子』の教えるところとは異なっている。少なくとも、戴震はそのように主張することによって、朱子学的な道徳主義が跋扈する時の社会を糾弾したのだった。

だが、実際は、戴震の思想は朱熹の思想からそう遠かったわけでもなさそうだ。戴震にせよ、朱熹にせよ、議論の下敷きになっているのは孟子の思想であり、そうである以上、戴震がことさら否定するほどに朱熹の思想が隔たっているはずもないのである。孟子は「情にしたがっている限り性は善たりうる」（『孟子』告子上）という。孟子にとって、感情それ自体は否定すべきものでなく、人の善なる本性を導くきっかけである。朱熹にとってもそれは同様だった。朱熹は「惻隠、羞悪、辞譲、是非は情である。仁義礼智は性である。心が性と情を統御しているのだ」と述べる（『孟子集注』巻三、『四書章句集注』中華書局、一九八三年、二三八頁）。情そのものが何か悪いものであるという発想はそこにはない。

ただし、朱熹にとって面倒な問題はやはり存在していた。仁義礼智が人の善なる道徳性でありながら、感情はそれらの「きっかけ」もしくは端緒であると孟子は言っている。しかるに、性善説に立つのであれば、情がそのままで善なのだと言ってもいいはずだが、孟子はそれを留保している。きっかけはあくまでもきっかけであり、それは善と同じではない。実際、性善こそが人間のあるべき本性であるにもかかわらず、この世になお悪が存在しているわけだから、この留保はある意味不可避であると言える。

朱熹が代表する宋代の理学は彼らのやり方でこの問題に対処しようとした。彼らは性を本来あるべき当為としての性と、現実態としての性（気質の性）とに弁別した。前者は当然善であるだけでなく、「そうあるべきありかた」でもあるので、理と同じであると理解された。「性とは理である」（性即理）という有名な朱子学のテーゼである。一方、気質の性のほうは、情と事実上同義であり、それ自体は善であるとも悪であるとも言えないのだが、時に本来の性から逸脱してしまうと、悪に転じてしまうおそれがある。だからこそ「惻隠の情」はあくまでもきっかけとしか言えなかったのである。こうして朱子学の性理学説は、性としての理（あるべき道徳的善）と情（現実の中で汚されて転落していく可能性のある人の心の動き）が次第に二律背反のように分化していく理論的な契機を準備していった。

こうした分化を克服しようとする企ては、明代になって王守仁（陽明、一四七二〜一五二九）が登場したあとには、極端なかたちでひとつの解を得る。それは、心に湧き上がる感情をそのまま善の体現であると認めることである。「街中の人みなが聖人である」とも言われるように、明代末期までには、人間の欲望そのものを肯定していく思想が展開されるようになる。これは一般に朱子学的な道徳厳格主義に対する反動であるとされる。王陽明は、心の判断力（「致良知（ちりょうち）」）に期待して、自由な感情の発露が、そうであるからこそ道徳に帰依していくのだという議論を展開した。これがゆえに、梁啓超は、彼を中国のカントであると称えているし、戴震についても、陽明学をより洗練させた「新知行合一主義（しんちこうごういつ）」の哲学であると評価してる。

しかし、「致良知」であれ「新知行合一主義」であれ、それによって欲望の横溢と逸脱から生じるであろう現実の悪を抑制する力には乏しいように思われる。朱子学が「そうあるべき」道徳規範としての側面を理の中に見出したこと自体はアポリアではない。事実、戴震自身も、「本性に備わっている欲を節制しなくてよいというわけではない。節制して行きすぎないことが天理にしたがっているということである」と述べている（『孟子字義疏証』巻上「理」一六二頁）。「天理が正しく、人欲がまちがっている」という理欲二分論は誤りだと戴震は批判するが、これは朱子学派の思想そのものに対してではなく、それに依拠したイデオロギーに対しての批判とみたほうがよさそうだ。

†「情」とは何か

中国哲学の歴史においてより重点が置かれていた問題は、むしろ、人間の実情から出発した場合に、どうしても悪の要素を考慮しないわけにはいかないということだったと言えるだろう。とりわけ、『孟子』の思想は性善説の上に成り立つので、善への「きっかけ」を均しく持つ人々の中からなぜ悪事が生まれてくるのかという疑問は避けて通れないものだ。孟子は「心を養うのに最もよいのは欲をすくなくすることである」(『孟子』尽心下)と述べ、情欲をほしいままにするのでもなく、それを圧し殺して無欲になるのでもなく、「すくなくする」(寡欲(かよく))のがよいとしたのだった。

実はこのことは、「情」という漢字の意味をどう考えるかというもう一つ別の視点ともつながってくる。いま「実情」と言ったとおり、「情」は必ずしも「感情」だけではない。「実情」や「情況」もまた「情」なのである。「感情」も「情況」もどちらも同じように、ものごとが実際にそうあるさまのことについて言っていると考えるべきだろう。例えば、「抒情(じょじょう)」ということばがあり、これはある種のセンチメントを表すと思われているが、このことばを自らの詩作を形容するのに用いた屈原(くつげん)(前三四三頃～前二七七頃)が果たしてそのような意味で用いたかどうかはわからない。彼は祖国に用いられず「発憤して情を抒(の)」べたと言われるが、これは憂憤(ゆうふん)の気持ちであると同時に、情実を明らかにするという決意だとも取れる。後者の説に立つのはほかでもない我らが戴震である(『屈原賦注』巻四「九章」、『戴震全書』三、六六一頁)。

孟子が「情にしたがっている限り性は善たりうる」と述べたのを、憐れみや好き嫌いのような感情であると理解してはいけないと戴震は言う。それは人のあり方の素朴な実際や現実を指すに過ぎないのだ。戴震は、朱熹はその点を理解しなかったがために、『孟子』を正しく理解できなかったと批判する。

†「自然」から「必然」へ

戴震にとってさしあたって重要なのは、情欲と知性の区別であった。これらを混同してしまえば、人が人たる所以を失ってしまうと彼は考えた。このことを示すために、戴震はまず、欲の逸脱と知性の機能不全をことさら区別しない朱熹の理解を批判する。

生まれながらにして愚なる者は、無欲であっても愚は愚なのだ。欲に発するものはすべて生きて養うことに関するから、欲が逸脱するのは「蔽(へい)」ではなく「私」であるという。自分では理を把握したと思っても実際にはまちがっている場合は、「蔽」にして開明ではないということになる。古今東西を問わず、誰にとってももっとも大きな患いは「私」と「蔽」だけだ。「私」は欲が正しくないことに、「蔽」は知が正しくないことに起因する。（『孟子字義疏証』巻上「理」一六〇頁）

朱熹は、すぐれた徳（明徳）を天から与えられているにもかかわらず、そのとおりすぐれた人にならないのは「人欲によって蔽われている」からだとした（『大学章句』、『四書章句集注』、中華書局、一九八三年、三頁）。だが、欲は知的な範疇には属さないものであるから「蔽われている」というのはおかしい、欲は行きすぎることによって利己主義的（「私」）になるから問題なのである、と戴震は考える。

欲は生身の人間が自然に有する生物としての人間の実情である以上、それが発揮されるのは当たり前であり、人々の欲を遂げさせることこそが聖人の政治の役割である。大切なことは、それらが正しく発揮されることであって利己主義的な専横に流れてしまわないようにすることである。戴震の時代、理は権力者がほしいままに振りかざして人を抑える道具となっていたのだった。それは、理と情が二律背反関係にあるからそうなったのではない。情のほしいままの横溢が許されるのは、権力者だったからだ。欲の抑圧は、抑圧する側の欲が放縦であることによって生じる。だからこそ、戴震は「情の釣り合い」において理を求めた。理は情のバランスであるというテーゼは、生身の自然な欲求を認めることであり、同時に、ものごとの実情に即した法則性を得ることにもなるのだ。そうした法則性を認識する能力は知性をおいてない。人間が人間たる所以は知性を有しているからだと戴震は考えた。

ものごとの情とそこから得られる法則性としての理は、二つにして一つである。戴震は言う。

『詩経』に「物有り則有り」という。「物」とは実際のものごとであり、「則」とはそれが純粋中正であるさまを言う。実際のものごとはすべて自然であり、それが必然に帰することで、天地、人と動物、事がらの理は得られる。(『孟子字義疏証』巻上「理」一六四頁)

わたしたちが日々接しているさまざまな実際のものごとはみな「自然」であり、そこにある法則性が「必然」であると戴震はいう。自然と必然は二つにして一つである。人間も血気が通い知性を有する生命として、他の動物と同じように自然な存在であるが、それでも動物と人間の違いを敢えて見出そうとするならば、それは、人間だけが自然を観察して、そこから必然の世界を明らかにできるからなのである。戴震にとって、これは快心の説明だったにちがいない。なぜなら、情が悪にも堕すことがあり得るという朱子学の難問をこれによって解決したと見えるからだ。惻隠、羞悪、恭敬(辞譲)、是非の心はそれぞれ仁義礼智という善なる徳目に至る可能性を宿した端緒(きっかけ)であった。それは、言い換えれば、自然から必然への可能性を認めるものであり、人は知的に学ぶことによって、必然を得る、つまり善に到達しうる。だから、性はすべての生き物に共通だが、人間の性だけが性善なのだ。自然の情況を観察して必然の法則を認識できること、自然な情動から出発して善なる徳目を達成できること。人間の本性が善であるゆえんはそこにある。それは、人間がより人間らしくなっていく成長のプロセスそのものを人間であることの本質であると規定する思想である。

3　日常の中で学ぶこと

†礼の作用

人間は、もとから善なる徳目が具わっているからではなく、人間らしく成長していくことができるからこそ性善なのだ。情が悪い気に汚されて人が悪くなっていくわけでもなければ、情をそのまま善なる内面の道徳的判断力によって発揮できるという解放思想に与するのでもなく、学んで成長することへの可能性に、戴震は人としての善なる本性を認めた。そして、学びの積極性を駆動するのは、理性や道徳的判断力ではなく、惻隠の心に代表されるような、「あらゆる反省に先立つ、自然の衝動」である。そしてそれは何も憐れみの感情だけではない。恐怖や愛着など情況に応じて生じるさまざまな感情は学びの出発点になる。例えば、『論語』には「上知と下愚は移らない」（陽貨篇）とある。最も智慧ある者と最も愚かな者は変わりようがないという孔子のため息だが、これについて戴震はこう言う。

生まれながらにして下愚であるような人と理義について語るのは難しい。そういう人は自分から学ぶことを拒絶する。これを「移らない」という。しかし、恐れを感じたり、優しさを感じたりして、ひとたびその恐れとか優しさをもたらす人に出会えば、心を開いて前向きに目ざめるということはよくある。悔いて善に従うようになれば下愚ではなくなるし、それに加えて学んでいくなら、日増しに智に近づく。（中略）だから「移らない」とは言うが、「移せない」とは言わないのだ。昔からいまに至るまで下愚は少なからずいるが、それでもつきつめればその精神はどこかで動物とはちがっているのだから、「移せない」はずはないのだ。
（『孟子字義疏証』巻中「性」一八五頁）

こうして、戴震は人が学ぶことによって、具体的な情況の自然、情動の自然を条理ある必然、あるべき善としての必然へと読み直し、鍛え上げていくことができると考えた。そうして描き出された必然の世界は、理であり礼である。

自然には条理があり、条理の秩序だっているさまを見れば礼を知ることができる。（『孟子字義疏証』巻下「仁義礼智」二〇五頁）

ここで戴震は「礼」を必然の秩序になぞらえている。これは、孟子とは対極的に性悪説を唱えており、儒家の哲学としては異端的だった荀子（前二九八頃〜前二三五頃）を思い起こさせるものだ。荀子は礼の起こりを生まれながらの欲に帰している。人は生まれながらにして欲を持っており、それが争いにつながらないよう礼が定められ、それによって「人の欲を養う」ことになったのだと『荀子』礼論篇にはある。情欲と社会秩序とのバランスにおいて礼の根拠を求めるこの発想は、戴震の理に対する理解と軌を一にする。荀子の性悪説は、人の本性を超越的に観想するのではなく、人の実情から出発することによって得られたものだ。「人の性や情にまかせたままでは必ず争奪や秩序の混乱を招く」、だから「性が悪であるのは明らかだ」（いずれも『荀子』性悪篇）と述べられるとおりだ。

ここには、朱熹たちが『孟子』解釈において苦しんだ問題は存在しない。『荀子』のテクストはさらに、情のほしいままの横溢を防ぐために礼が定められていった人の歴史に基づきながら、「作為」(『荀子』では「偽」と表現される)こそが人間の善であるとされる。例えば、土をこねたり、木を削ったりして器に造り替えるように、自然の素朴な実情に働きかけてそれを改変していく営為こそは人間が善たるプロセスであると荀子は考えた。そこで、礼は人の行為を規範づける法度であり、これもまた人の「偽」によって形成されるのである。

しかるに戴震は、天下の情が乱れてしまうのを防ぐためにも礼が必要であると述べている。礼は世界の秩序ある法則性(つまり「理」だ)に則って定められたものであり、それによって情は、行きすぎていれば抑えられ、不十分であれば促される。礼は情が乱れてしまっているのをかたちだけ取り繕うためにあるのではなく、情のバランスを取りもどすために敢えてなすパフォーマティヴな「偽」としての行為である。それはまた、『荀子』に「熟慮を重ね、偽を繰り返すことによって、礼が生まれ規範が生じる」(性悪篇)と述べているのに通じる。人は毎日の生活の中から学ぶ。毎日の生活は無数の情から成り立っており、それをバランスよく配分することで秩序が生まれ、そうして人はこの世界の条理を知るのだ。礼とは、この情のバランスを程よく成り立たせるために敢えてなされるパフォーマンスである。

†とっさの判断を誤らないために

人々は、日々の礼の実践を通じて、情をあるいは鍛え、あるいはなだめる。戴震はどうやら、『孟子』の善に関する思想を充実させるために、こっそりと『荀子』を経由していたらしい。信原の情動論をここでもう一度思い出そう。情動は理性による制御を得ながら次第に鍛えられ、人はやがてそれを適切に発揮できるようになっていく。一方、わたしたちがここまで追ってきた中国哲学の議論によれば、情に基づいた不断の学びのプロセスは、理性ではなく、礼によって制御される。日常の礼の中で学びながら、わたしたちは、平和な日常の中では疑う余地のない倫理が脅かされた瞬間にも、惻隠の心を発揮し、情動の力によって善たる作為を発揮できるだろう。

孟子にはこんなエピソードがある。

淳于髠（じゅんうこん）という人が、「男女が直接ものの受け渡しを行わないのは礼ですか」と尋ねた。孟子は「礼です」と答えた。「では、嫂（あによめ）が溺れているときに助けようと手をのばすのはどうですか」「嫂が溺れているのに手をのばさないのは豺狼（さいろう）のようです。男女が直接ものの受け渡しを行わないのは礼であり、助けようと手をのばすのは権です」。（『孟子』離婁上）

動物と異なる人間性が真に発揮されるのは、惻隠の心が発動する危機の瞬間であり、その瞬間においては、情に勘案してとっさの反応が選択される。それが「権」である。「権」とは天秤でバランスを取るように軽重を量ることをいう。孟子は、原則にこだわるあまり、実情に合わせた適切な行動が取れないことを嫌った。大切なことは、どんな状況にあっても適切な判断を下せるように、日ごろから学んで情を鍛えることだ。その繰り返しによって、人は仁なる善性を発揮できるように成長していくのである。礼は日々の身体的な所作において繰り返し学ぶための方法である。それによってわたしたちはとっさの衝動をよりよく発揮するのである。

ところで、ユヴァル・ノア・ハラリはＡＩのアルゴリズムが洗練された結果、「利他主義者（アルトゥルーイスト）」と「利己主義者（エゴイスト）」という二つのモデルの自動運転車が製造販売されるようになったらどうなるかという議論をしている。自分の車が緊急状態に直面した場合、より大きな善のために自分が犠牲になりたいと思う人はアルトゥルーイスト型の車を、たとえ車の走る先にいる二人の子どもの命を奪うことになっても自分の命を守りたい人はエゴイスト型の車を選んで購入する。顧客の購買欲を満足させることだけが使命の販売会社は、エゴイスト型の車を売ることで非難されることはない。または、顧客は新車を買った時に、自らの好みに従って、事故が起こった場合、「あなたの命を犠牲にしたいか、それとも、相手の車に乗っている人の命を奪うか」のいずれかをカスタマイズ設定することができるようになるかも知れない。「トロッコ問題」はこうしてクリアされる時代が来るかも知れないというのだ(ユヴァリ・ノア・ハラリ『21 Lessons　21世紀の人類のための21の思考』柴田裕之訳、河出書房新社、二〇一九年、九〇頁)。

アルゴリズムは情動の習慣に作用し、やがてわたしたちの意志決定はそれに委ねられていくのかもしれない。その時、わたしたちは、瞬間に湧き上がる憐れみの衝動をまだ保持しているだろうか。残された可能性は、もしかすると、テクノロジーそのものが荀子的な「偽」の産物であることを銘記して、わたしたちの情にふさわしいAIを生み出すために努力しつづけることにこそ存在しているのかも知れない。「情を鍛える」という場合、情はものごとの実際であったことを思い出そう。わたしたちの「偽」が働きかけるのは感情ばかりではなく、周囲のあらゆる情況——環境そのものである。

ハラリは、AI開発に投入するのと同じだけの資源を人間の意識の向上にそそぐべきだと唱える。人間の心はまだまだ探究されていない未知の領域だ。しかし、わたしたちが見てきたように、中国哲学においては、「心」は内面の感情と外部の情況が共に発動すると共に、それを秩序づけ、礼の実践として日常の行いを律していく器官である。それは常に善の「きっかけ」を宿しながら、日常に働きかける作為によって自らとその周辺を共に改変し、形づくっていく。

そのプロセス自体が、情動の鍛錬であり、善なる感性の発揮である。それは、美味なるものを求め、美しい音に酔い、美しい風景を愛でるのと同じように発動する理義への悦びに基づくと孟子は言った（『孟子』告子上）。素朴な情に由来するが故の善たる人間性を忘れず、日々の生活を営むこと。少なくともそれは、感情の暴走ではなく、理性の暴走とテクノロジーの暴走を止めるための足場にはなるだろう。

さらに詳しく知るための参考文献

マイケル・ピュエット、クリスティーン・グロス＝ロー『ハーバードの人生が変わる東洋哲学』（熊谷淳子訳、早川書房、二〇一六年、文庫版二〇一八年）……中国哲学の「礼」概念をきわめて魅力的な「かのようにの礼」として論じきった本書は、『荀子』の礼の今日的再解釈であり、戴震の思想の遠い延長上にある。

フランソワ・ジュリアン『道徳を基礎づける――孟子 vs. カント、ルソー、ニーチェ』（中島隆博、志野好伸訳、講談社現代新書、二〇〇二年／講談社学術文庫、二〇一七年）……孟子の哲学を啓蒙思想以来のヨーロッパ近代哲学と対話させた研究として、新たな孟子論のきっかけを開いた。本章の趣旨は、同書に寄せた中島隆博の解題で実はすべて尽くされている。

石井剛『戴震と中国近代哲学――漢学から哲学へ』（知泉書館、二〇一四年）……拙著で恐縮だが、日本から輸入された翻訳語の「哲学」をもとに二〇世紀に行われた中国近代哲学構築の試みが戴震の「理」概念に対する解釈をめぐってなされたことを示した。

中島隆博『悪の哲学――中国哲学の想像力』(筑摩選書、二〇一二年)……孟子の時代から、悪はずっと中国哲学の絶えざる主題だったことは本章でも少しく触れたので、より広く理解を深めたい人にはぜひこの本を読んでほしい。古くから続く哲学的問題への斬新な切り口。

第10章 江戸時代の「情」の思想

高山大毅

1 「情」の解放?

厳しい道徳によって束縛されていた人間の「情」は、時代が進むにつれて解放されていった――このような図式で江戸時代の思想史・文学史を整理することがあった。多くの場合、朱子学は「情」を抑圧した側の思想に位置付けられ、朱子学を批判した伊藤仁斎（一六二七〜一七〇五）・荻生徂徠（一六六六〜一七二八）の学問は解放した側の思想として高く評価される。この種の歴史観は、丸山眞男『日本政治思想史研究』所収の論文に由来し、中村幸彦らによって文学研究にも導入された。古い図式ゆえそのまま用いられることは減ったものの、今なお文学史はこのような図式に沿って叙述されることが少なくない。思想史研究の領域でも、「情」が抑圧されていたため、当時の知識人は屈折していた――といった発想が時折見られる。

しかし、「情」の解放の図式には様々な問題点がある。

大抵、「情」の解放の図式は、解放の度合いが高ければ高いほど良い状態であるという見方を前提としている。果たしてそうであろうか。道徳主義からの「情」の解放を肯定しても、性別や民族によって人を差別する「情」まで肯定する者はおそらくいないであろう。いわゆるポリティカル・コレクトネスの窮屈さを嘆く主張がしばしば現れるのは、リベラルで進んだとされる社会が個々人に「情」の規律を厳しく要求するからではなかろうか。このように「情」の解放と社会の進歩とが正の相関をする保証はない。

また、ある思想の「情」に対する解放の度合いを測るのは困難である。たとえば、道ならぬ恋に対しても寛容であれ――と説く思想は、「情」を解放したものであると評価されることが多い。しかし、それは一方で、不善を憎む「情」――儒学では「羞悪（しゅうお）」と呼ぶ――に対して抑圧的であるといえないだろうか。「羞悪」の「情」よりも恋情の方が解放すべき重要な感情であるといった価値観は決して自明ではない（このような価値観が従来の少なくない研究において暗黙の裡（うち）に前提とされていたこと自体が興味深い問題である）。「情」の解放の程度を測る基準は、はなはだ不明確である。

そこで、本稿は「情」の解放の図式に拠らず、江戸時代の「情」をめぐる議論の流れを見ていくことにしたい。その際、西洋哲学に類比する型の説明を用いないことにする。これは「世界哲学史」を称する本書にいささか相応しくない指針のように見えよう。しかし、本巻の半数以上の章が西洋思想に占められていることに示されているように、「世界哲学史」という試みは西洋中心の見方からの脱却の途上にある。安易な類比は、西洋思想の枠組で近世日本の思想も理解可能であるという誤解を生みかねない。このような陥穽（かんせい）を避けるため、本章では江戸期の思想を西洋思想の用語に翻訳するのではなく、明晰な現代日本語に翻訳することに努めたい（そのため原文の引用も最小限に止める）。現代日本語への翻訳が上手くいけば、同様に翻訳された同時代の他地域の思想と並列されることで、江戸時代の「情」の思想の「世界哲学史」上の位置は自ずと明らかになるはずである。

最初に取り上げるのは朱子学の「情」論である。朱子学は、体制を支える正統教学として徳川政権に採用されたわけではなかったが、学問の世界においては標準的な学説として一定の権威を有していたからである。

2 儒学の「情」論

†朱子学における「情」論

赤ん坊が井戸に落ちそうになっているのを目にしたら、「あ、危ない！」と思い、子どものもとに駆け寄るであろう。このような時に人が抱く感情を、儒学では「惻隠」と呼ぶ（「惻」も「隠」もいたわしく思うといった意味である）。「惻隠」は、朱子学では、人の心に生来具わっている道徳性が、「情」として外側に表れ出たものであるとされる。

朱子学は「惻隠」のような道徳的な感情を重視し、また「喜怒哀楽」のような移ろいやすい感情についても、それらを消滅させるのではなく、節度に適ったようにすべきであると説く。「情」のような心の動きを滅却しようとするのは仏教のような異端の教えであるというのが朱子学の見方である。

そのため、厳格な朱子学者として知られる浅見絅斎（一六五二〜一七一二）が、「惣じて詩も歌も、義理から云いては詩歌ではない。義理に漏ることは無うて、情から出るが至極の歌の吟味ぞ」と語ることは不思議なことではない（『常話雑記』）。文章が道徳を理屈で語るのとは異なり、詩歌の醍醐味は道徳性にしたがった感情の表出であると絅斎は説いているのである。

朱子学によれば、「情」を善からざる方向へと導くのは「人欲」である。そのため人は、学問修養によって「人欲」を払拭し、自己に具わった道徳性（「本然の性」）のままに「情」が発動する境地を目指さなくてはならない。人間は誰もが生まれながらにして完全な道徳性を具えており、「人欲」の克服は、人としての本来のあり方に立ち還ることである。人々は同じ道徳性を有しているので、道徳性を十全に発揮している状態に至れば、人々の間に見解の相違などはなくなる。現実において人間はバラバラであっても、根源的には同一であると朱子学は見る（根源的同一性）。

このような根源的同一性の教説にしたがえば、正しい「情」のあり方は一つに定まり、それ以外は逸脱ということになる。朱子学における「情」をめぐる議論が、善か悪かといった二値的なものになるのはこのためである。

二値的な「情」の捉え方は、朱子学の『詩経』論にも表れている。『詩経』解釈史上の大きな論点として、経典である『詩経』に、淫奔な内容の民謡（国風の鄭・衛の詩）が含まれていることをどのように意義付けるかという問題がある。この問題について、朱熹は次のような解答を示している（『論語集注』）。『詩経』には、善なる内容の詩だけでなく、悪なる内容の詩も収められている。善なる内容の詩は、「かくあらねばならぬ」と人の良心を奮い立たせる。悪なる内容の詩は、「こういうことはあってはならない」と人の不善を憎む心を刺戟する。このようにして善なる詩も悪なる詩も、「情性」の正しい状態へと人々を至らしめる（「情性」のように「情」と対になる「性」は、動いていない状態の心のあり方についていったものである）。

朱熹の議論は、『詩経』中の様々な内容の詩を善・悪に二分し、いずれもが「情性」を善なる状態へと導く効果があるとする。各詩篇に述べられている心情にせよ、詩篇を読む側の心情にせよ、朱熹は善悪の二項対立の図式の中に割り当てて論じるのである。

†「人情」理解論――仁斎学と徂徠学

江戸中期の儒者である伊藤仁斎や荻生徂徠は、朱子学の根源的同一性の教説を批判した（批判の背景については後述する）。この根源的同一性は、もともと仏教の教義に由来し、仏教の影響を受けた宋代以降の儒学（宋明性理学）に共通して見られる発想である。仁斎や徂徠は根源的同一性を批判することで、宋明性理学の思考枠組で扱うことが難しい問題領域を開拓することになった。他者の「情」の理解の問題である。

根源的同一性の教説に立脚した場合、他者の「情」の理解の問題は視野から抜け落ちがちである。生得的に自己に具わった道徳性のままに自己の「情」が動いているかが重要で、必ずしも善であるとは限らない他者の「情」を理解することは、それほど重要な意味を持たない。また、自己の「情」が正しい状態であれば、いちいち他者の「情」を思いやったり、それに寄り添ったりする必要はない。なぜなら、自他は根源的に同一なので、正しい状態であれば自他の「情」は一致するはずだからである。

一方、伊藤仁斎は他者の感情を推し量り、理解することを重視した。朱子学が人間には生来完全な道徳性が具わっていると考えるのとは異なり、仁斎は、人間の生まれつきの資質には差異があり、大多数の人間は善を好む性質を具えているものの、それ自体は頼りないものであると見る（善を好む性質を有さない、心に欠陥のある人間の存在も仁斎は認める）。仁斎学において「道」とは正しい人間関係のあり方をまずは意味している。よって、他者の感情を理解することは、自己の良心を養い育み、他者との間に慈愛に満ちた正しい関係を結ぶ上で欠かせないとされるのである。

伊藤仁斎の長子である伊藤東涯（一六七〇～一七三六）は、このような父の議論を『詩経』論に応用した（以下『読詩要領』に拠る）。東涯によれば、『詩経』の諸篇は「人情」を描いたものであり、人は『詩経』を学ぶことによって、世間の人々の様々な感情を理解できるようになる。「人情」に通じれば、他者の過ちに対しても、その背後にあるやむにやまれぬ感情を推し量れるようになり、寛容で「柔和」な人柄になる。このような人間が他者と良好な関係を築けることはいうまでもない。『詩経』に淫奔な内容の詩が収められているのも、そこに描かれている感情は決して褒められたものではないものの、世間で人と付き合う上で知っておくべき感情の一類型だからである。

ちなみに伊藤東涯の弟子の穂積以貫（一六九二～一七六九）は、近松門左衛門と昵懇の間柄で、近松の執筆を手助けしたともいわれる（以貫の子は浄瑠璃作者となった。今日でも上演される多くの名作を残した近松半二である）。以貫の存在は、東涯の議論と近松の諸作との間に、影響関係ではないにしても、何らか重なる部分があった可能性を示唆する。近松の心中物の観客たちは、心中事件の背後にある、やむにやまれぬ男女の心情を浄瑠璃を通じて推し量り、涙していたのかもしれない。

荻生徂徠も東涯同様に、『詩経』を学ぶことで、様々な立場の人々の感情（「人情」）を理解できるようになると説く。『詩経』は「高き位より賤（いやし）き人の事をも知り、男が女の心ゆきをも知り、又かしこきが愚なる人の心あはひ（心のあり方）をも知らるる益御座候（ござそうろう）」と徂徠はいう。また、『詩経』を学ぶことで、「自然と心こなれ」る（心の角が取れる）と見る点でも、徂徠の議論は東涯と似ている（『徂来先生答問書』）。

ただし、東涯と比較した場合、徂徠の方が「人情」理解を統治の問題と結び付けて語る傾向が強い。徂徠によれば、古代の為政者たちは、『書経』の文言に依拠して政治判断を行うことがあった。その際に、杓子定規（しゃくしじょうぎ）に『書経』の言葉を状況に当てはめないために、『詩経』所収の詩篇を通じて様々な立場の人々の感情を知るようにしていたという（『弁名』）。

以上のように仁斎・東涯父子と徂徠はともに、善悪の「情」の区別よりも、他者の「情」の理解を重視し、「情」の諸類型を知ることで人は他者に酷薄ではなくなると説いた。このような議論を「人情」理解論と呼ぶことにしたい。

「人情」理解論は、多様性の重視といった現代の思潮を連想させるかもしれない。しかし、それは不自由で不平等な近世日本の身分制社会と結びついている。

徂徠の弟子の服部南郭（一六八三〜一七五九）は「人情」理解について次のような興味深い議論を展開している（「巌邑侯に与ふ」）。「人情」理解のために『詩経』を学ぶといった発想が後代の中国において忘れられたのは、中国では秦漢以降、世襲の統治身分がなくなったためである。古代の統治身分の出身者は、他の身分の「情」のあり方に疎いため、『詩経』を通じて「人情」を理解する必要があった。一方、庶民出身でも宰相の地位に昇ることのできる後代の中国では、為政者は民間の事情に明るいため、その必要はなくなった。それにしたがい『詩経』の本来の機能が分からなくなってしまった。このように論じた上で南郭は、当代の日本は固定的な統治身分が存在するので『詩経』の学習は為政者に有益であると述べる。

南郭の歴史理解が正しいかはさておき、彼の議論が世襲の固定的な身分集団の存在と「人情」理解を結び付けているのは示唆に富む。南郭の説を敷衍すれば次のようにいえよう。江戸時代の日本のように身分集団の区分が明確であれば、身分集団ごとに価値観や感性が異なっていることは当然視される。そのため、人々は自己と異なる立場の者の「情」については学ばない限り、容易に理解できないと考える。一方、社会の流動性が高まると、誰もが同じ人間であるという認識が高まり、自己と異なる感情類型を理解することへの関心は後退する。朱子学が誕生した宋代は、科挙制度の拡充によって世襲の統治身分が解体され、中国社会が流動化の方向へと進んだ時代であった。根源的同一性を基盤とした「情」認識と「人情」理解論の相違の背後には、近世中国と近世日本の社会構造の差異が横たわっているのである。

3 「物のあはれを知る」説と「粋」「通」

†本居宣長の「物のあはれを知る」説

『古事記』研究などで知られる、いわゆる国学者の本居宣長（一七三〇～一八〇一）は、漢学にも明るく、儒者の「人情」理解論から多くを学んだ。宣長の漢学の師であった堀景山（一六八八～一七五七）は、朱子学者であるものの、仁斎学の影響を受けており、さらに徂徠とも交流があった。景山の『詩経』論は、東涯・徂徠と同型である。『詩経』を学ぶ眼目は、「世間の人情の酸いも甜いも」知ることにあると景山はいう（『不尽言』）。世間の「人情」の悪い面（「酸い」）も良い面（「甜い」）も知悉することで円熟した人間になる。「人情」理解論の実に分かりやすい説明である。初期宣長の著名な議論である「物のあはれを知る」説は、このような「人情」理解論の延長にある。

宣長によれば、「物のあはれを知る」ことは「物の心を知る」ことと「事の心を知る」ことの二つに大別される（以下の宣長の議論は『紫文要領』『石上私淑言』に拠る）。

「物の心を知る」ことは、たとえば花を見て、「美しい花だな」と趣きを理解することをいう。宣長のいう「物の心」とは、物の「趣き」や風情（「心ばへ」）を指している。

この「物の心」を「物の本質」と解釈し、「物のあはれを知る」説を認識論として解釈することが行われてきた。だが、宣長は、「物の本質」を把握する過程や人間の認識構造に対して、原理的な探求を行っていない。そのため解釈者の側が様々な理論を補うことで、この空白を埋めてきた。しかし、これは過去の思想の理解の仕方として失当であろう。宣長は認識論的な問題領域にそもそも関心がなかったのである。江戸期の他の思想家に対しても、同様の認識論探しが行われることがある。おそらく、認識論探しの背景には、優れた思想体系は必ず認識論について語っているはずだ——といった一部の西洋思想をモデルにした見方があろう。だが、認識論以外にも思想上の重要な問題領域はいくらでもあり、このような見方は一種の先入観ではなかろうか。

話を「物のあはれを知る」説に戻すと、「物のあはれを知る」の第二の類型は「事の心を知る」である。「事の心を知る」とは、具体的にいえば、悲しい出来事に自分があった時に悲しいと感じ、あるいは、悲しい出来事にあった人に対して、「さぞ悲しかろう」とその心情を推し量り、ともに悲しむことを指す（喜びといった肯定的な感情を喚起する出来事についても同様である）。

宣長は、和歌や『源氏物語』などの物語は「人情」の諸相を詳しく描いており、それらを読むことで、「物のあはれを知る」人になれるという。物語を例に取るならば、読者は、物語中の登場人物に自己を重ねることで様々な感情の類型を理解し、現実の生活で出会う他者に対してもその感情を推し量り、理解できるようになるというのである。

「物のあはれを知る」人は、内向的で繊細な感受性を有した文学青年のようなものに見えるかもしれない。しかし、宣長の考える「物のあはれを知る」人の人間像はそれとは異なっている。宣長は、「物のあはれを知る」ことは、「世俗にも、世間の事をよく知り、事に当たりたる人は、心が練(ね)れて良きといふに同じ」という。つまり、宣長は「物のあはれを知る」人を、世故に通じた円満な人柄の持ち主と同一視しているのである。和歌や物語が様々な感情のあり方をつぶさに描いているという前提に立てば、このような宣長の議論は奇妙なものではない。実生活で触れられる人間感情の類型が限定的であることを考えれば、歌や物語を学んだ人の方が、一般の人々より世間通であるとさえいえよう。文学教育の意義を説明するために、宣長の議論の前提を再評価してみるのも一策かもしれない。

さらに宣長は、「物のあはれを知る」人々の間にはうるわしい秩序が生まれると説く。親と子、治者と被治者が互いの心情を思いやり、行動する——このような状態であれば、外来の儒学の教説などは必要ない。むしろ、「唐(もろこし)」(中国)の人々のような「情」を押し隠し、理屈を振りかざし賢人ぶるあり方は、このような秩序の妨げとなると宣長は見る。

「物のあはれを知る」人々の秩序は、互いに相手の心情を推し量って調和を実現しているので、いわゆる「空気を読む」ことを求めるような同調圧力の強い社会を想起させるかもしれない。確かに両者は似ている面もある。しかし、宣長が理想とする「物のあはれを知る」人々は、他者の忖度を待っているだけでなく、自らの心情を歌に詠む。宣長によれば和歌は、美しい表現を用いて自己の心情を吐露することで、普通の言葉よりも自己の心情を他者に深く理解させるものである。このような和歌を介したやりとりは、人々を相互の心情が折り合う地点へとなめらかに導くのである。

和歌を詠むなんて――と二の足を踏む者に宣長はいう。人間は様々な物事に絶えず心動かされるので、その心情を歌に詠むことはできるはずである。神代から「中昔(なかむかし)」(平安から南北朝にかけての時代を指す)までは、身分の高下を問わず人々は歌を詠んだ。今でも、幼い子どもは声を伸ばし、たどたどしく歌うものだ。鳥や虫も美しい声で鳴く。人として歌の道を知らないのは恥ずかしいことではないか。このような宣長の議論にしたがえば、歌を詠まない人がほとんどの現代日本の言語コミュニケーションは、大きな欠落があることになろう。

†「粋」と「通」

宣長の「物のあはれを知る」説は、同時代の思想状況の中で孤立したものではない。仁斎学や徂徠学と関連があるだけでなく、「粋(すい)」や「通(つう)」といった遊廓を中心に当時流行した概念とも繋がっている。

「粋」は、「水」とも表記され、あか抜けない山出しの（山から上ったばかりの意を掛ける）「月(がち)」（＝「野暮」）に対し、洒脱で水のように融通無碍(ゆうずうむげ)な人品を表すとされる。また「粋」には「推」という字も当てられ、人情の機微を「推察」することに長けているといった意味で用いられることもある。

一方、「通」は「粋」より遅く、一八世紀後半に江戸を中心に流行した。上方の「粋」を江戸では「通」と呼ぶといった説明が当時なされており、両者の意味の違いを厳密に区別することは難しい。「通人」は、人情に「通」じて温和で、様々な軋轢(あつれき)を丸く収める人物であるとされることが多い。

このように「粋」も「通」も「人情」理解と結びついている。

江戸時代、「情」の中でも格別深いものは「恋の情」であるという認識が広く見られる。当時、「情の道」といえば恋の道、色の道を指す（「情」の解放の図式で恋情が重視される原因の一つは、このような「情」認識の伝統であろう）。宣長もこのような認識に立ち、和歌や物語は恋の「情」の委曲を尽くしており、その点で漢詩文に勝っていると論じている。

江戸時代の遊廓では、客と遊女の関係は恋仲に擬せられた。そのため、「粋」「通」をめぐる議論には、色町で「恋の情」を知ることで、「人情」の機微に通じた温和な人になれるといった説がしばしば登場する。落語の演目の「明烏」では、堅物の息子の将来を心配した町人が、世間を学ばせようと、遊び人に頼んで息子を吉原に連れていかせる。このような遊廓で世間の「人情」を勉強させるという発想は、この時代珍しいものではなかった。

ちなみに宣長は、若い頃に京都に遊学した際、島原や祇園に出入りしており、「粋」の概念にも接していたと考えられる。「粋」に関連して、色町で遊ぶことで「物のあはれを知る」ことができると説かれることも当時あった。宣長の「物のあはれを知る」説は、「粋」の美意識からもいくばくか影響を受けていよう。

さらに興味深いのは、「通」をめぐる思考から、「物のあはれを知る」説とよく似た秩序像が導き出されることである。朋誠堂喜三二（一七三五～一八一三）の『案内手本通人蔵』は、『仮名手本忠臣蔵』の登場人物がみな「通人」であったなら――という設定の作品である。この作品では、「人情」の機微に明るい登場人物たちが、互いに相手の立場を「推察」し、気転を利かすことで、紛争に至る前に事件は穏便に解決する（当然、浪士の討ち入りも起こらない）。本作の序文には「世の人皆通なれば、世の中に闘諍なく、ますます太平なり」とある。戯れの作品であるとはいえ、この主張はかなり本気だったのではなかろうか。

『案内手本通人蔵』や同様の趣向の作品（『通増安宅関』）では、賄賂をうまく使って紛争を防ぐのが「通」であるという発想が見られる。これは、「人情」理解論の負の側面を考える上で興味深い。

「人情」に通じた人間は賄賂に甘くなりやすい。金品が欲しいと思う相手の気持ちを推察して相手を喜ばせようと賄賂を贈り、また賄賂を渡された際にも、その背後にある切実な思いを推量して、それを受け取って便宜を図る。このような振る舞いは、他者の感情の忖度を第一と考えるならば排除しづらい。賄賂によって事を荒立てずに解決できるとなるとなおさらであろう。

4 「人情」理解論と「振気」論

宣長の「物のあはれを知る」説と「通」概念の流行は、直接的な影響関係はない。両者はともに「人情」理解論の一種であり、思想史上の兄弟関係にあるといえる。様々な立場の人々の心情を理解し、温和な人柄になる――といった議論が、一八世紀後半の日本では盛んだったのである。

「人情」理解論を日本人論と結び付け、「いかにも日本人的な思考である」といった評価を与えたくなるかもしれない。しかし、そのような整理は短絡的である。なぜなら、一九世紀に入ると、「人情」理解論は退潮していくからである。

寛政改革の後、「人情」理解論に代わり、強烈な言行によって人々の活力を奮い立たせるといった議論が盛んになった。「気」(「元気」「正気」「士気」)を「振るふ」(「振起」「振作」「鼓舞」)といった語彙が用いられるので、筆者はこれを「振気」論と称している(活力の消長は「気」の膨張と収縮のイメージで語られる)。このような問題関心は、近世中国思想にはほとんど見られず、近世日本思想においても江戸中期までは同様である。寛政期に政治改革論の文脈の中で「振気」論は主張されるようになり、江戸末期には、政治的立場の対立を超えて、多くの人々の思考を規定した。明治期の文献にも「振気」論は繰り返し登場し、近代に至るまで確実に続いた思想の流れといえる。

「振気」論では、異なる立場の他者の感情を理解することは重視されない。「振気」論の考え方では、過激な政治行動や熱情溢れる詩歌に、人々は自ずと鼓舞されるのであり、共鳴の拡大の過程で、他者の感情を推し量るといった思惟は介在しない。「人情」理解論が理想視するような角のない人柄も、「振気」論では優柔不断で気概に乏しいと評価される。

「振気」論は、激烈な言行に対しては、余程の悪人でない限りは、人々は同じように感動すると想定しており、地位や立場の違いによって受け止め方に差異が生じるとは考えない。「人情」理解論が江戸期の身分社会と対応しているのに対し、「振気」論はそのほころびと対応しているといえるかもしれない。

このような「振気」論の隆盛に端的に表れているように、日本の思想は「人情」理解論一辺倒であったわけではない。

日本人論・日本文化論と結び付けなくても、江戸時代の「情」の思想は充分に顧みる価値がある。「惻隠」・「人情」理解・「振気」は、次のように翻訳できよう（①は「惻隠」、②は「人情」理解、③は「振気」にそれぞれ対応している）。

①紛争地域で飢餓に苦しむ子供の写真を見て、「かわいそう、助けたい」と思う。
②紛争地域を描いた小説やノンフィクションを読んで、その地域の人々の心情に思いを馳せ、感情移入する。
③紛争地域の人々の支援のために行われた決死の覚悟の政治運動に心打たれ、奮い立つ。

①②③は今日いずれも「共感」と呼ばれている。しかし、やはりこれらは異なる性質を持っており、いずれに軸足を置くかで、異なる道徳観・社会秩序観が導き出されるのではなかろう

か。

たとえば①③は感情の生起が瞬間的であるのに対し、②は時間をかけて相手を理解するという過程を多くの場合は伴う。また、①と③の間にも差異はある。③では共感する者と共感される者の間に感情（「紛争地域の人々を助けねば！」）の共有が見られるのに対して、①は感情の共有があるか疑わしい。悲惨な状態の子供の感情（「もういやだ」「お腹が空いた」）を共有しているというよりは、辛い目にあっている子供を見て本能的に「かわいそう」と思っているのではなかろうか。「惻隠」の出典である『孟子』が、赤子が井戸に落ちそうになっているという状況を例示するのは、この点において含蓄に富む。赤子は苦しいわけでも悲しいわけでもなく、おそらくは嬉々として井戸へと向かっているのであり、「惻隠」の「情」を抱く者は赤子の感情に自己を重ねてはいないからである（②は対象と感情を共有しており、③とこの点では近い）。

このように江戸期の議論の類型を用いることで、「共感」という曖昧な概念で括られる感情を分節化できる。現在の日本においては、「共感」の重視といった主張は多くの人々から賛同を得やすい（日本以外にもそのような地域はあろう）。しかし、それは時に同床異夢になってはいないか。江戸時代の「情」の思想は、「共感」に関わる議論の交通整理に大いに役立つはずである。

＊引用は読みやすさを優先して表記を改めた。

さらに詳しく知るための参考文献

日野龍夫（校注）『本居宣長集』（新潮日本古典集成、新潮社、一九八三年）……宣長の『紫文要領』と『石上私淑言』の詳細で分かりやすい注釈。日野の解説「「物のあわれを知る」の説の来歴」は古典的研究として今なお示唆に富む。

渡辺浩『日本政治思想史——十七〜十九世紀』（東京大学出版会、二〇一〇年）……本稿では「情」に焦点を当てたため、仁斎・徂徠・宣長の学問体系の一部分しか取り上げていない。優れた通史である本書で、江戸期の思想の他の側面にもぜひ触れて欲しい。

田尻祐一郎『こころはどう捉えられてきたか——江戸思想史散策』（平凡社新書、二〇一六年）……「こころ」を主題に、神道・仏教・儒学・国学等々の江戸思想の諸領域を「散策」する。案内役の豊富な学識が随所に光る。

高山大毅「「物のあはれを知る」説と「通」談義——初期宣長の位置」（『国語国文』第八四巻一一号、二〇一五年）／高山大毅「「振気」論へ——水戸学派と古賀侗庵を手がかりに」（『政治思想研究』第一九号、二〇一九年）……本稿は右の二つの論文に基づいている（後者はネット公開されている）。先行研究と本稿の関係についてはこちらを参照していただきたい。

あとがき

哲学史を西洋哲学史という狭い枠から解放して、世界哲学という広い舞台でのびのびと展開させてみたらどうなるのか。世界哲学史というこのシリーズは、そうした発想から出発して、これまですでに五巻の刊行を終えた。この巻と次の巻は近代の世界を扱うが、この時代についてもこれまでと同様、できるだけ西洋偏重とならないで、広い視野から見た世界の各地の思想状況に認められるような、差異性と類似性、連続性と断絶についての、新鮮な発見をえたいと考えた。

私自身は一九世紀から現代までのアメリカ哲学やヨーロッパ哲学を専門としているので、これまでいくつかの哲学史の編集作業にかかわってきた際には、自分の専門に関係の深い領域を担当してきたが、同時にいつも、哲学史の全体の構想が西洋だけに偏らない、もっと地球規模での広がりをもつ視点はないのだろうかと自問してきた。今回の編集作業を通じて、その問いへの回答の一端を得つつあるという、たしかな手ごたえを感じているが、このことは非常にうれしいことである。

しかし、その編集作業の過程で、今回の新型ウイルス肺炎の世界規模での蔓延という、予期せぬ出来事に遭遇し、誰もがのがれることのできない根本的危機というものに直面したことは、改めて哲学の役割を考えさせられる機会ともなった。疫病の大規模な拡大ということは、政治の問題であり、経済の問題であり、科学技術の問題、生態系の問題でもあって、さまざまな角度からのアプローチがなされてしかるべきである。哲学でも、ヴォルテールは『カンディード』でリスボンの大地震を扱い、カミュはアルジェリアの小都市の疫病と戦う人々の姿を『ペスト』という小説に仕立てて、世界的不幸の存在と人間という形而上学的問題と取り組んだ。

カミュの小説は第二次世界大戦直後に発表されたが、当時の地中海の小都市の人々が苦しんだ疫病と、私たちの目の前で今まさに繰り広げられている、地球規模での危険と不幸とを比較すると、時代の推移によって生まれた変化の大きさに圧倒される思いがする。しかしながら、一方で、危険や不幸の規模の大小にかかわらず、不条理な不幸と人間との対決という構図そのものは、根本において変わらないと考えることもできるだろう。『ペスト』に登場する人々は、互いに職種や信条をまったく異にしながらも、最後には、人間にたいして世界が暴力的に押しつけてくる「厚み」と「異質性」への抵抗に向けて、連帯の道を選ぶことにする。私たちの大災害においてもまた、人間の英知のもとでの連帯が、危機克服へとつながることを祈りたい。

今回の危機に際しては、本書の執筆者をはじめとして、出版にかかわったすべての方々が、多大な不便や苦労にもかかわらず、出版実現のために尽力してくださった。とりわけ、このシリーズの発足以来、編集上のあらゆる面での問題に対処し続けている、筑摩書房編集部の松田健氏の熱心なご協力にたいして、ここで深く感謝申し上げたい。

二〇二〇年四月

第6巻編者　伊藤邦武

編・執筆者紹介

伊藤邦武（いとう・くにたけ）【編者／はじめに・第1章・あとがき】
一九四九年生まれ。京都大学名誉教授。京都大学大学院文学研究科博士課程単位取得退学。スタンフォード大学大学院哲学科修士課程修了。専門は分析哲学・アメリカ哲学。著書『プラグマティズム入門』（ちくま新書）、『宇宙はなぜ哲学の問題になるのか』（ちくまプリマー新書）、『パースのプラグマティズム』（勁草書房）、『ジェイムズの多元的宇宙論』（岩波書店）、『物語 哲学の歴史』（中公新書）など多数。

山内志朗（やまうち・しろう）【編者】
一九五七年生まれ。慶應義塾大学文学部教授。東京大学大学院人文科学研究科博士課程単位取得退学。専門は西洋中世哲学、倫理学。著書『普遍論争』（平凡社ライブラリー）、『天使の記号学』（岩波書店）、『「誤読」の哲学』（青土社）、『小さな倫理学入門』『感じるスコラ哲学』（以上、慶應義塾大学出版会）、『湯殿山の哲学』（ぷねうま舎）など。

中島隆博（なかじま・たかひろ）【編者】
一九六四年生まれ。東京大学東洋文化研究所教授。東京大学大学院人文科学研究科博士課程中途退学。専門は中国哲学、比較思想史。著書『悪の哲学――中国哲学の想像力』（筑摩選書）、『『荘子』――鶏となって時を告げよ』（岩波書店）、『思想としての言語』（岩波現代全書）、『残響の中国哲学――言語と政治』『共生のプラクシス――国家と宗教』（以上、東京大学出版会）など。

納富信留（のうとみ・のぶる）【編者】
一九六五年生まれ。東京大学大学院人文社会系研究科教授。東京大学大学院人文科学研究科修士課程修了。ケンブリッジ大学大学院古典学部博士号取得。専門は西洋古代哲学。著書『ソフィストとは誰か？』『哲学の誕生――ソクラテスとは何者か』（以上、ちくま学芸文庫）、『プラトンとの哲学――対話篇をよむ』（岩波新書）など。

＊

柘植尚則（つげ・ひさのり）【第2章】
一九六四年生まれ。慶應義塾大学文学部教授。大阪大学大学院文学研究科博士課程単位取得退学。大阪大学博士（文学）取得。専門はイギリス倫理思想史。著書『イギリスのモラリストたち』（研究社）、『増補版 良心の興亡――近代イギリス道徳哲学研究』（山川出版社）、『プレップ倫理学』（弘文堂）など。

西村正秀（にしむら・せいしゅう）【第3章】
一九七二年生まれ。滋賀大学経済学部教授。京都大学大学院文学研究科博士後期課程修了。博士（文学）。イリノイ大学シカゴ校大学院哲学科博士課程修了。Ph.D.（哲学）。専門は西洋近世哲学、知覚の哲学。論文「ジョン・ロックの認識論における観念と性質の類似について」（『哲学研究』五八三号）、"Leibniz on the ontological status of bodies"（『哲学』五八号）、「概念主義と指示詞的概念の形成」（『科学哲学』四八―二号）など。

王寺賢太（おうじ・けんた）【第4章】
一九七〇年生まれ。東京大学人文社会系研究科准教授。東京大学大学院人文社会系研究科博士課程満期退学。パリ西大学博士（フランス文学）。専門はフランス近現代思想史。編著書に *Éprouver l'universel - Essai de géophilosophie*（共著 Paris, Kimé）、『現代思想と政治』『〈ポスト68年〉と私たち』（以上共編、平凡社）など。

山口雅広（やまぐち・まさひろ）【第5章】
一九七六年生まれ。龍谷大学文学部准教授。京都大学大学院文学研究科博士後期課程修了。博士（文学）。専門は西洋中世哲学・宗教哲学。著書『西洋中世の正義論』（共編著、晃洋書房）、『哲学ワールドの旅』（共著、晃洋書房）など。訳書『中世の哲学――ケンブリッジ・コンパニオン』（共訳、京都大学学術出版会）。

西川秀和（にしかわ・ひでかず）【第6章】
一九七七年生まれ。大阪大学外国語学部非常勤講師。早稲田大学大学院社会科学研究科博士課程修了。専門はアメリカ史・アメリカ大統領。著書『アメリカ歴代大統領大全（既刊1～6）』（大学教育出版）、『アメリカ人の物語（既刊1～4）』（悠書館）など。

長田蔵人（おさだ・くらんど）【第7章】
一九七二年生まれ。明治大学農学部講師。グラスゴー大学大学院哲学科修士課程修了。京都大学大学院文学研究科博士後期課程修了。博士（文学）。専門は西洋哲学史。論文「カントの存在論的証明批判」（『日本カント研究』第二〇巻）、「「常識」の概念とカントの思想形成」（牧野英二編『新・カント読本』法政大学出版局）、「アダム・スミスにおける道徳的運の問題と良心」（『倫理学年報』第五七集）など。

岡崎弘樹（おかざき・ひろき）【第8章】
一九七五年生まれ。日本学術振興会特別研究員（PD）。京都大学や大阪大学ほかで非常勤講師を務める。パリ第3大学アラブ研究科社会学博士。専門はアラブ近代政治思想、シリアの政治文化研究。著書『アラブ近代思想家の専制批判』（東京大学出版会、近刊予定）。訳書『シリア獄中獄外』（ヤシーン・ハージュ・サーレハ著、みすず書房、近刊予定）。

石井　剛（いしい・つよし）【第9章】
一九六八年生まれ。東京大学大学院総合文化研究科教授。東京大学大学院人文社会系研究科博士課程修了。博士（文学）。専門は中国近代哲学。著書『斉物的哲学――章太炎与中国現代思想的東亜経験』（華東師範大学出版社）、『戴震と中国近代哲学――漢学から哲学へ』（知泉書館）、共著『知のフィールドガイド――異なる声に耳を澄ませる』『ことばを紡ぐための哲学』（以上、白水社）など。

高山大毅（たかやま・だいき）【第10章】
一九八一年生まれ。東京大学大学院総合文化研究科准教授。東京大学大学院人文社会系研究科博士課程修了。博士（文学）。専門は近世日本思想史、近世日本漢文学。著書『近世日本の「礼楽」と「修辞」―荻生徂徠以後の「接人」の制度構想』（東京大学出版会）、訳書『徂徠集　序類』1・2（共訳、平凡社）。

久米　暁（くめ・あきら）【コラム1】
一九六七年生まれ。関西学院大学文学部教授。京都大学大学院文学研究科博士課程修了。博士（文学）。専門はイギリス哲学、分析哲学。著書『ヒュームの懐疑論』（岩波書店）、『ヒューム読本』（共著、法政大学出版局）、訳書『何が社会的に構成されるのか』（ハッキング著、共訳、岩波書店）など。

松田　毅（まつだ・つよし）【コラム2】
一九五六年生まれ。神戸大学大学院人文学研究科教授。京都大学大学院文学研究科博士課程単位修得退学。オスナアブリュック大学哲学博士号取得。専門はヨーロッパ近代哲学。著書『ライプニッツの認識論』（創文社）、*Der Satz vom Grund und die Reflexion: Identität und Differenz bei Leibniz* (Peter Lang)、『部分と全体の哲学——歴史と現在』（編・共著、春秋社）、『哲学の歴史』第5巻（共著、中央公論新社）など。

戸田剛文（とだ・たけふみ）【コラム3】
一九七三年生まれ。京都大学大学院人間・環境学研究科教授。京都大学総合人間学部出身、京都大学大学院人間・環境学研究科で博士号取得。専門は西洋近代哲学。著書『世界について』（岩波ジュニア新書）、『バークリ——観念論・科学・常識』（法政大学出版局）、編著『今からはじめる哲学入門』（京都大学学術出版会）、訳書『ハイラスとフィロナスの三つの対話』（岩波文庫）など。

三谷尚澄（みたに・なおずみ）【コラム4】
一九七四年生まれ。信州大学人文学部准教授。京都大学大学院文学研究科博士課程修了。文学博士。専門は哲学、倫理学。著書『哲学してもいいですか？——文系学部不要論へのささやかな反論』『若者のための〈死〉の倫理学』（以上、ナカニシヤ出版）、『新・カント読本』（共著、法政大学出版局）など。

橋爪大三郎（はしづめ・だいさぶろう）【コラム5】
一九四八年生まれ。大学院大学至善館教授。東京工業大学名誉教授。東京大学大学院社会学研究科博士課程単位取得退学。専門は社会学。著書『ほんとうの法華経』（共著、ちくま新書）、『皇国日本とアメリカ大権』（筑摩選書）、『世界がわかる宗教社会学入門』（ちくま文庫）、『橋爪大三郎の政治・経済学講義』『橋爪大三郎の社会学講義』（以上、ちくま学芸文庫）、『ジャパン・クライシス』（共著、筑摩書房）、『フリーメイソン』（小学館新書）など。

ちくま新書

1460
世界哲学史1
――古代Ⅰ　知恵から愛知へ
［責任編集］伊藤邦武／山内志朗
中島隆博／納富信留
人類は文明の始まりに世界と魂をどう考えたのか。古代オリエント、旧約聖書世界、ギリシアから、中国、インドまで、世界哲学が立ち現れた場に多角的に迫る。

1461
世界哲学史2
――古代Ⅱ　世界哲学の成立と展開
［責任編集］伊藤邦武／山内志朗
中島隆博／納富信留
キリスト教、仏教、儒教、ゾロアスター教、マニ教などの宗教的思考について哲学史の観点から領域横断的に検討。「善悪と超越」をテーマに、宗教的思索の起源に迫る。

1462
世界哲学史3
――中世Ⅰ　超越と普遍に向けて
［責任編集］伊藤邦武／山内志朗
中島隆博／納富信留
七世紀から一二世紀まで、ヨーロッパ、ビザンツ、イスラーム世界、中国やインド、そして日本の多様な形而上学の発展を、相互の豊かな関わりのなかで論じていく。

1463
世界哲学史4
――中世Ⅱ　個人の覚醒
［責任編集］伊藤邦武／山内志朗
中島隆博／納富信留
モンゴル帝国がユーラシアを征服し世界が一体化へと向かう中、世界哲学はいかに展開したか。天や神など超越者に還元されない「個人の覚醒」に注目し考察する。

1464
世界哲学史5
――中世Ⅲ　バロックの哲学
［責任編集］伊藤邦武／山内志朗
中島隆博／納富信留
近代西洋思想は、いかにイスラームの影響を受けたスコラ哲学によって準備され、世界へと伝播したか。中国・朝鮮・日本までを視野に入れて多面的に論じていく。

1165
プラグマティズム入門
伊藤邦武
これからの世界を動かす思想として、いま最も注目されるプラグマティズム。アメリカにおけるその誕生から最新の研究動向まで、全貌を明らかにする入門書決定版。

832
わかりやすいはわかりにくい？
――臨床哲学講座
鷲田清一
人はなぜわかりやすい論理に流され、思い通りにゆかず苛立つのか――常識とは異なる角度から哲学的に物事を見る方法をレッスンし、自らの言葉で考える力を養う。

ちくま新書
1465

世界哲学史6
――近代I 啓蒙と人間感情論

二〇二〇年六月一〇日　第一刷発行
二〇二〇年六月二五日　第二刷発行

編者　伊藤邦武（いとう・くにたけ）
山内志朗（やまうち・しろう）
中島隆博（なかじま・たかひろ）
納富信留（のうとみ・のぶる）

発行者　喜入冬子

発行所　株式会社 筑摩書房
東京都台東区蔵前二-五-三　郵便番号一一一-八七五五
電話番号〇三-五六八七-二六〇一（代表）

装幀者　間村俊一

印刷・製本　株式会社 精興社

ISBN978-4-480-07296-2 C0210

人名索引

あ行

か行

さ行

た行

な行

は行

ま行

や行

ら行

わ行

年表

	ヨーロッパ・アメリカ合衆国	北アフリカ・アジア(東アジア以外)
1600	1600　ジャン゠ジョゼフ・スュラン、生まれる〔-1665〕。ジョルダーノ・ブルーノ、火刑に	1607/8　シーア派哲学者アーガー・フサイン・フワーンサーリー、生まれる〔-1686/7〕
1610	1613　支倉常長ら、渡欧する〔-1620〕 1618　三十年戦争〔-1648〕	1619　オランダ、ジャワに東インド総督を置き、バタヴィア建設
1620	1620　メイフラワー号、アメリカに上陸 1623　パスカル、生まれる〔-1662〕 1627　ボイル、生まれる〔-1691〕	1624　スンナ派法学者でナクシュバンディー教団のスーフィー、アフマド・シルヒンディィ、没 1628　シャー・ジャハーンが即位し、インドのイスラーム文化が最盛期に〔在位 -1658〕
1630	1632　スピノザ、生まれる〔-1677〕。ロック、生まれる〔-1704〕 1637　デカルト『方法序説』刊行 1638　ニコラ・ド・マルブランシュ、生まれる〔-1715〕	1633　コム学派の哲学者サイード・クンミー生まれる〔-1691〕
1640	1640　イギリス革命〔-1660〕 1641　デカルト『省察』刊行 1642　ニュートン、生まれる〔-1727〕。ガリレオ、没 1646　ライプニッツ、生まれる〔-1716〕 1648　ウェストファリア条約を締結し、三十年戦争終結 1649　デカルト『情念論』刊行	1641　イラン・インドの科学者ミール・フェンデレスキー、没。シリアのスーフィー神学者、アブドゥルガニー・ナーブルシー生まれる〔-1731〕

太字は哲学関連事項

中国・朝鮮	日本	
1603　『天主実義』刊行	1600　関ヶ原の戦い 1603　徳川家康、江戸幕府を開く 1609　オランダ、平戸に商館を開設	1600
1610　黄宗羲、生まれる〔-1695〕 **1611　方以智、生まれる〔-1671〕** **1613　顧炎武、生まれる〔-1682〕** **1619　王夫之、生まれる〔-1692〕**	1614　大坂冬の陣 1615　大坂夏の陣 **1619　山崎闇斎、生まれる〔-1682〕。熊沢蕃山、生まれる〔-1691〕**	1610
1622　柳馨遠、生まれる〔-1673〕	**1620　不干斎ハビアン『破提宇子』刊行** **1621　木下順庵、生まれる〔-1699〕** **1627　伊藤仁斎、生まれる〔-1705〕**	1620
1633　梅文鼎、生まれる〔-1721〕 **1635　顔元、生まれる〔-1704〕** 1636　清、成立〔-1912〕。**閻若璩、生まれる〔-1704〕**	**1635　中江藤樹、藤樹書院を開く** 1637　島原の乱〔-1638〕	1630
1641　権尚夏、生まれる〔-1721〕 **1642　李光地、生まれる〔-1718〕** 1644　清の中国支配はじまる。張献忠、軍を率いて成都を攻略し「大西国」を称す **1645　『西洋新法暦書』完成**	1641　オランダ商館を出島に移し、鎖国完成	1640

	ヨーロッパ・アメリカ合衆国	北アフリカ・アジア(東アジア以外)
1650	1650　デカルト、没 1651　ホッブズ『リヴァイアサン』刊行	
1660	1660　イギリスで王政復古。ロンドン王立協会（現在まで存続中）設立 1666　パリ王立諸学アカデミー（後のフランス学士院）設立	1662　シーア派神学者アブドゥッラッザーク・ラーヒジー、没
1670	1677　スピノザ『エティカ』刊行 1679　ホッブズ、没	1670　シーア派哲学者ラジャブ・アリー・タブリーズィー、没
1680	1683　オスマン帝国軍による第二次ウィーン包囲 1685　バークリ、生まれる〔-1753〕 1687　ニュートン『プリンキピア』刊行 1688　名誉革命 1689　モンテスキュー、生まれる〔-1755〕。ロック『統治二論』刊行。イギリスで権利の章典制定	1680/1　シーア派哲学者ムフシン・カーシャーニー、没
1690	1694　ハチスン、生まれる〔-1746〕。ケネー、生まれる〔-1774〕。ヴォルテール、生まれる〔-1778〕	1691　シーア派神学者カーディー・サイード・クンミー、没 1699　カルロヴィッツ条約締結

中国・朝鮮	日本	
1654 『神学大全』第一部の漢訳がロドヴィコ・ブーリオによって行われる〔-1677〕	1652 浅見絅斎、生まれる〔-1712〕 1657 新井白石、生まれる〔-1725〕。徳川光圀『大日本史』編纂開始 1658 室鳩巣、生まれる〔-1734〕	1650
1661 康熙帝即位〔-1722〕。鄭成功、台湾占領 1662 明、完全に滅亡 1663 黄宗羲『明夷待訪録』完成	1662 伊藤仁斎、古義堂を設立 1666 荻生徂徠、生まれる〔-1728〕	1660
1673 三藩の乱〔-1681〕 1677 『神学大全』第三部補遺がガブリエル・マガリャンイスにより漢訳される。李柬、生まれる〔-1727〕	1670 伊藤東涯、生まれる〔-1736〕	1670
1681 李瀷（李星湖）、生まれる。江永、生まれる〔-1762〕 1682 韓元震、生まれる〔-1751〕 1683 鄭氏が降伏、台湾が清の領土になる	1680 太宰春台、生まれる〔-1747〕 1683 服部南郭、生まれる〔-1759〕 1687 山県周南、生まれる〔-1752〕	1680
1697 恵棟、生まれる〔-1758〕	1690 山井崑崙、生まれる〔-1728〕 1697 賀茂真淵、生まれる〔-1769〕 1699 根本遜志、生まれる〔-1764〕	1690

	ヨーロッパ・アメリカ合衆国	北アフリカ・アジア(東アジア以外)
1700	1700 ベルリン諸学協会（後のベルリン科学アカデミー）設立 1701 プロイセン王国成立 1706 ベンジャミン・フランクリン、生まれる〔-1790〕 1707 大ブリテン王国成立	1703 サラフィー主義者ムハンマド・イブン・アブドゥルワッハーブ、生まれる〔-1792〕
1710	1711 ヒューム、生まれる〔-1776〕 1712 ルソー、生まれる〔-1778〕 1713 ディドロ、生まれる〔-1784〕 1714 イギリス、ハノーヴァー朝成立〔-1901〕 1717 ダランベール、生まれる〔-1783〕	1715 シーア派哲学者ムッラー・ムハンマド・ナラーギー、生まれる〔-1795〕
1720	1723 アダム・スミス、生まれる〔-1790〕 1724 カント、生まれる〔-1804〕 1729 バーク、生まれる〔-1797〕	1722 シーア派哲学者ミールザー・モハンマド・サーデグ・アルデスターニー、没
1730	1739 ヒューム『人間本性論』刊行〔-1740〕	1731 シリアの神秘思想家アブドゥル・ガーニー・ナーブルスィー、没

中国・朝鮮	日本	
	1703　安藤昌益、生まれる〔-1762〕 1707　富士山大噴火 1709　荻生徂徠、蘐園塾を設立	1700
1716『康熙字典』成立 1719　荘存与、生まれる〔-1788〕	1715頃　新井白石『西洋紀聞』完成 1716　享保の改革はじまる	1710
1720　王鳴盛、生まれる〔-1797〕 1723　雍正帝即位〔-1735〕。雍正帝、キリスト教布教を禁止 1724　戴震、生まれる〔-1777〕。紀昀、生まれる〔-1805〕 1727　趙翼、生まれる〔-1812〕 1728　銭大昕、生まれる〔-1804〕 1729　雍正帝が『大義覚迷録』を頒布	1723　三浦梅園、生まれる〔-1789〕 1724　懐徳堂設立	1720
1735　段玉裁、生まれる〔-1815〕。乾隆帝即位〔-在位1795〕 1738　章学誠、生まれる〔-1801〕	1730　本居宣長、生まれる〔-1801〕。中井竹山、生まれる〔-1804〕	1730

	ヨーロッパ・アメリカ合衆国	北アフリカ・アジア(東アジア以外)
1740	1740　オーストリア継承戦争〔-1748〕 **1743　コンドルセ、生まれる〔-1794〕。ジェファーソン、生まれる〔-1826〕** **1748　モンテスキュー『法の精神』刊行。ベンサム、生まれる〔-1832〕**	
1750	**1755　ルソー『人間不平等起源論』刊行** 1756　七年戦争〔-1763〕 **1758　ロベスピエール、生まれる〔-1794〕** **1759　スミス『道徳感情論』刊行**	**1753　シャイヒー派の創始者シャイフ・アフマド・アフサーイー、生まれる〔-1826〕** **1756　シーア派神秘思想家ヌール・アリー・シャー、生まれる〔-1798〕** 1757　プラッシーの戦い
1760	**1762　ルソー『社会契約論』『エミール』刊行** 1763　パリ条約締結(英仏間) 1769　ワット、蒸気機関を改良	**1763　オスマン朝の大宰相で蔵書家ラギブ・パシャ、没** 1765　イギリス東インド会社がベンガル、ビハール、オリッサの事実上の統治権を獲得
1770	**1770　ヘーゲル、生まれる〔-1831〕** **1775　シェリング、生まれる〔-1854〕** 1776　アメリカ独立宣言の発表。**トマス・ペイン『コモン＝センス』刊行**	**1772/4　ラームモーハン・ローイ、生まれる〔-1833〕**
1780	**1781　カント『純粋理性批判』刊行** 1783　パリ条約締結、アメリカ合衆国の独立承認 **1788　カント『実践理性批判』刊行。ショーペンハウアー、生まれる〔-1860〕** 1789　フランス、「人権宣言」採択。アメリカ連邦政府発足	**1783　スンナ派法学者で神学者のイブラーヒーム・バジューリー、生まれる〔-1860〕** **1784　カルカッタにアジアティック・ソサイエティ設立**

中国・朝鮮	日本	
1744　王念孫、生まれる〔-1832〕	1742　公事方御定書成る **1748　山片蟠桃、生まれる〔-1821〕**	1740
	1755　海保青陵、生まれる〔-1817〕	1750
1763　焦循、生まれる〔-1820〕 **1764　阮元、生まれる〔-1849〕** **1766　王引之、生まれる〔-1834〕**	1767　曲亭馬琴、生まれる〔-1848〕	1760
1776　戴震『孟子字義疏証』成立。劉逢禄、生まれる〔-1829〕	**1776　平田篤胤、生まれる〔-1843〕**	1770
1782　『四庫全書』完成	**1780　頼山陽、生まれる〔-1832〕** **1782　会沢正志斎、生まれる〔-1863〕**。天明の大飢饉〔-1787〕 1783　浅間山大噴火 1787　寛政の改革はじまる〔-1793〕	1780

	ヨーロッパ・アメリカ合衆国	北アフリカ・アジア(東アジア以外)
1790	1792　フランス、第一共和政〔-1804〕 **1798　コント、生まれる〔-1857〕**	**1792　シーア派思想家ハーディー・サブザヴァーリー、生まれる〔-1873〕** **1798　シャイヒー派の神秘思想家サイイド・カーズィム・ラシュティー、生まれる〔-1843〕**。ナポレオン、エジプト遠征〔-1799〕
1800	1804　フランス、ナポレオンが皇帝になり第一帝政に〔-1814〕。仏領サン＝ドマング、独立してハイチとなる 1805　トラファルガーの海戦。アウステルリッツの戦い。**トクヴィル、生まれる〔-1859〕** **1806　J・S・ミル、生まれる〔-1873〕** **1807　ヘーゲル『精神現象学』刊行**。アメリカで奴隷貿易の禁止 1809　リンカン、生まれる〔-1865〕。**プルードン、生まれる〔-1865〕**	**1801　リファーア・タフターウィー、生まれる〔-1873〕**
1810	1812　アメリカ＝イギリス(米英)戦争 1814　フランス、ブルボン朝成立〔-1830〕。**バクーニン、生まれる〔-1876〕** **1818　マルクス、生まれる〔-1883〕**	**1817　デーヴェンドラナート・タゴール、生まれる〔-1905〕** **1819　ブトルス・ブスターニー、生まれる〔-1883〕**
1820	**1820　エンゲルス、生まれる〔-1895〕**	**1824　ダヤーナンダ・サラスヴァティー、生まれる〔-1883〕** **1828　ブラーフマ・サマージ、ブラーフマ・サバーの名で設立**

中国・朝鮮	日本	
1792　マカートニー、中国に到着。**龔自珍、生まれる〔-1841〕** **1794　魏源、生まれる〔-1857〕** 1796　白蓮教徒の乱〔-1804〕	**1790　昌平坂学問所設立** **1798　本居宣長『古事記伝』完成**	1790
1808　段玉裁『説文解字注』完成	**1806　藤田東湖、生まれる〔-1855〕** 1808　間宮林蔵、樺太探険 **1809　横井小楠、生まれる〔-1869〕**	1800
1810　陳澧、生まれる〔-1882〕 1816　アマースト、中国に到着 **1818　江藩『漢学師承記』刊行**	**1811　佐久間象山、生まれる〔-1864〕**	1810
1821　兪樾、生まれる〔-1907〕 **1829　『皇清経解』刊行**	1825　異国船打払令	1820

	ヨーロッパ・アメリカ合衆国	北アフリカ・アジア(東アジア以外)
1830	1830　フランス、ブルボン＝オルレアン朝成立〔-1848〕 **1839　パース、生まれる〔-1914〕**	**1834/6　ラーマクリシュナ、生まれる〔-1886〕** **1838　ケーシャブ・チャンドラ・セーン、生まれる〔-1884〕** **1838/9　ジャマールッディーン・アフガーニー、生まれる〔-1897〕**
1840	**1842　ウィリアム・ジェイムズ、生まれる〔-1910〕** **1844　ニーチェ、生まれる〔-1900〕** 1846　アメリカ＝メキシコ戦争〔-1848〕 1848　フランス、第二共和政〔-1852〕	**1840　プラタープ・チャンドラ・マジュームダール、生まれる〔-1905〕** **1849　ムハンマド・アブドゥ、生まれる〔-1905〕**
1850	1852　フランス、第二帝政〔-1870〕 **1856　フロイト、生まれる〔-1939〕** **1857　ソシュール、生まれる〔-1913〕** **1859　フッサール、生まれる〔-1938〕。ベルクソン、生まれる〔-1941〕。デューイ、生まれる〔-1952〕**	**1855　アブドゥルラフマーン・カワーキビー、生まれる〔-1902〕** **1856　アディーブ・イスハーク、生まれる〔-1884〕** 1857　インド大反乱発生 1858　ムガル帝国滅亡、イギリスのインド直接統治はじまる
1860	1863　アメリカ、奴隷解放宣言 **1864　マックス・ヴェーバー、生まれる〔-1920〕**	**1861　ジョルジ・ザイダーン、生まれる〔-1914〕。ラビーンドラナート・タゴール、生まれる〔-1941〕** **1863　カーシム・アミーン、生まれる〔-1908〕。ヴィヴェーカーナンダ、生まれる〔-1902〕** **1865　ラシード・リダー、生まれる〔-1935〕** **1869　ガーンディー、生まれる〔-1948〕**

中国・朝鮮	日本	
1832　章学誠『文史通義』刊行 **1837　張之洞、生まれる〔-1909〕**	1833　天保の大飢饉〔-1839〕 **1835　福澤諭吉、生まれる〔-1901〕** 1837　大塩平八郎の乱	1830
1840　アヘン戦争〔-1842〕 **1842　王先謙、生まれる〔-1917〕** **1848　孫詒讓、生まれる〔-1908〕**	1841　天保の改革〔-1843〕 **1847　中江兆民、生まれる〔-1901〕**	1840
1851　太平天国の乱〔-1864〕 **1854　厳復、生まれる〔-1921〕** 1856　アロー戦争〔-1860〕 **1858　康有為、生まれる〔-1927〕**	1853　ペリー、浦賀に来航 1854　日米和親条約 1858　日米修好通商条約	1850
1865　譚嗣同、生まれる〔-1898〕 **1866　孫文、生まれる〔-1925〕** **1868　章炳麟、生まれる〔-1936〕**	1867　大政奉還。王政復古の大号令	1860

	ヨーロッパ・アメリカ合衆国	北アフリカ・アジア(東アジア以外)
1870	1870　フランス、第三共和政〔-1940〕。**レーニン、生まれる〔-1924〕** **1879　アインシュタイン、生まれる〔-1955〕**	**1872　オーロビンド・ゴーシュ、生まれる〔-1950〕** 1877　インド帝国成立〔-1947〕
1880	**1883　ヤスパース、生まれる〔-1969〕** **1889　ウィトゲンシュタイン、生まれる〔-1951〕。ハイデガー、生まれる〔-1976〕**	1885　インド国民会議発足 **1888　アリー・アブドゥルラージク、生まれる〔-1966〕** **1889　タハ・フセイン、生まれる〔-1973〕**
1890	1898　アメリカ＝スペイン戦争 **1899　ハイエク、生まれる〔-1992〕**	**1897　ラーマクリシュナ・ミッション設立**
1900	**1903　アドルノ、生まれる〔-1969〕** **1906　アーレント、生まれる〔-1975〕。レヴィナス、生まれる〔-1995〕** **1908　メルロ＝ポンティ、生まれる〔-1961〕。レヴィ＝ストロース、生まれる〔-2009〕**	**1905　ベンガル分割令、スワラージ・スワデーシー運動の始まり** **1906　ハサン・バンナー、生まれる〔-1949〕。サイイド・クトゥブ、生まれる〔-1966〕**

中国・朝鮮	日本	
1873　梁啓超、生まれる〔-1929〕 **1877　王国維、生まれる〔-1927〕** **1879　陳独秀、生まれる〔-1942〕**	**1870　西田幾多郎、生まれる〔-1945〕** **1875　福澤諭吉『文明論之概略』刊行**	1870
1881　魯迅、生まれる〔-1936〕 **1885　熊十力、生まれる〔-1968〕** **1889　李大釗、生まれる〔-1927〕**	1889　大日本帝国憲法発布	1880
1891　胡適、生まれる〔-1962〕。康有為『新学偽経考』刊行 **1893　毛沢東、生まれる〔-1976〕。梁漱溟、生まれる〔-1988〕** 1894　甲午農民戦争。日清戦争〔-1895〕 **1895　馮友蘭、生まれる〔-1990〕** **1897　康有為『孔子改制考』刊行** 1898　戊戌の政変。**京師大学堂設立。厳復『天演論』刊行**	1890　教育勅語発布 1894　日清戦争〔-1895〕。台湾の植民地化	1890
1900　義和団事件、北京議定書 1905　科挙の廃止	1902　日英同盟 1904　日露戦争〔-1905〕	1900